고등
세계사
종결자

서양, 중국사편

현동쌤 지음

고등 세계사 종결자 서양, 중국사편

발 행 | 2024년 4월 29일

저 자 | 현동쌤

펴낸이 | 한건희

펴낸곳 | 주식회사 부크크

출판사등록 | 2014.07.15.(제2014-16호)

주 소 | 서울특별시 금천구 가산디지털1로 119 SK트윈타워 A동 305호

전 화 | 1670-8316

이메일 | info@bookk.co.kr

ISBN | 979-11-410-8301-4

www.bookk.co.kr

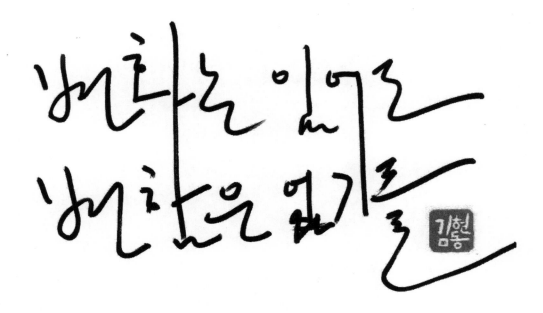

여러분 안녕하세요. 김현동 선생님입니다. 이번에 세계사 개정판을 출간하게 되었습니다. 보통 한국사를 중점으로 가르치는 경우가 많다 보니 소홀했던 것 같아요.

이 교재는 그 동안 출간하였던 세계사 집합체입니다. 『종래의 개념을 뒤집어 착달라 붙는 역사 참고서·문제집1』과 『엄지척 중·고등 역사 칠판노트』를 재정리한 것입니다. 또한, 여러분의 의견을 반영하여 필기할 수 있는 공간을 확보하였습니다. 더불어, 특정 주제에 대해 심화하여 학습할 수 있도록 내용을 추가하였습니다.

여러분에게 이 교재가 역사 공부를 하는데 작게나마 도움이 되었으면 합니다. 궁금한 내용은 khd9937@korea.kr로 메일을 남겨주세요. 앞으로 여러분에게 도움이 될 수 있도록 계속 교재를 만들어갈 생각입니다. 많은 격려와 지지 부탁드립니다. 그러면 웃는 얼굴로 교실에서 만나요!

2024.4.26. 교무실에서

구성과 특징

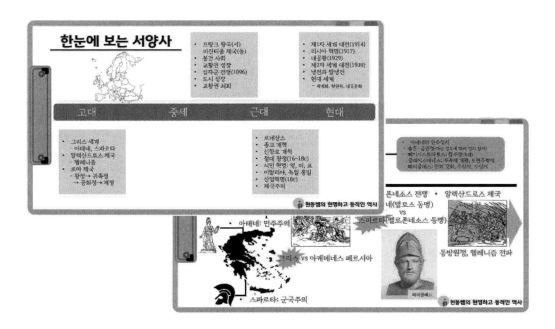

- **한눈에 보는 세계사**: 전체 흐름을 쉽게 파악할 수 있도록 제시하였다.
- **칠판 노트**: 현장 수업에서 필기한 내용을 바탕으로 주요 학습 내용을 이해할 수 있도록 하였다.

* 소설로 보는 역사,

공군 원수 손드비가
런 대목이 있었다.
는 사실은 누구도 ᄐ
래무기를 이용한 공
죽었다. 1945년 3
이용한 미국 중폭격기의 도쿄 공중 공격으로 83,793
명이 죽었다. 히로시마에 투하한 원자탄은 71,379명
이 죽였다. 뭐 그런 거지.
　- 제5도살장, 커트 보니것, p.233~234 -

그렇게 온순하고 조금씩만 먹던 양들이 요즘
에는 지나치게 많이 먹고 또 사나워져서, 과
장하면 인간들까지 다 먹어 치우고 있습니다.
…… 귀족과 신사, 성직자인 수도원장까지도 백
성들의 경작지를 빼앗아 울타리로 둘러싸 버렸
기 때문입니다.　　- 토마스 모어, 유토피아 -

- **인용**: 여러 저서/사료 인용을 통해
심층적으로 역사를 이해할 수 있도록 하였다.

내용 정리

선생님의 필기를 바탕으로 여러분이 정리해보세요:)

핵심 내용   나의 생각
☐   MEMO
☐
☐

- **스스로 정리**
- 내용 정리: 수업을 들으며 필기할 수 있도록 공간을 확보하였다.
- 핵심 내용: 스스로 중요한 내용을 추출할 수 있도록 구성하였다.
- 나의 생각: 학습한 내용에 대해 자신의 생각을 서술할 수 있도록 하였다.

2017학년도 7월 고3 세계사

18. 밑줄 친 '이 제국'의 문화에 대한 설명으로 옳은 것은?

Agra 볼거리

아그라 관광에서 결코 빼놓을 수 없는 곳이 있다. 이 제국의 황제였던 샤자한이 황후의 죽음을 애도하며 22년에 걸쳐 지었다는 타지마할이다. 태양 빛에 반짝이는 시공을 초월한 아름다움을 감상하고 싶다면

2020학년도 대수능 세계사

5. 밑줄 친 '반란'이 일어난 왕조에서 볼 수 있는 모습으로 적절하지 않은 것은? [3점]

천보 4년, 양옥환은 귀비로 책봉되었다. 황제의 총애를 받은 덕분에 그녀의 친족들은 벼락출세를 하였다. 그중 재상이 된 양국충은 안녹(록)산을 시기하여 그를 제거하려다가 안녹산의 반란을 초래하였고, 황제를 모시고 피란 가던 도중에 양귀비와 함께 죽음을 맞았다.

타지마할

① 탈라스 전투에 참전한 군인
② 청명상하도를 감상하는 황제
③ 균전제의 실태를 조사하는 관리
④ 조로아스터교 사원에 가는 신도
⑤ 불경을 구하러 인도로 떠나는 승려

- **문제**: 학습한 내용을
전국연합 모의고사, 모의평가, 대수능 문제를 통해 응용할 수 있게 구성하였다.

Contents 차례

✅ 역사 공부 Q&A

인물 소개

현동쌤: 이 책의 저자이자 현직교사이다.

유진: 하이파이브 고등학교에 다니는 학생이다.

안녕하세요! 현동쌤. 역사 공부가 너무 어려워요. 외워야 할 것도 많아요ㅠㅠ 도와주세요.

안녕~ 유진아. 쉽게 이야기하면 역사는 외우는 것이 아니란다.

네에?? 그게 무슨 말이예요?

물론 역사를 공부할 때 암기 해야죠~ 그 보다는 흐름이 중요하답니다.

아 흐름이요?? 흐름은 시간의 순서를 말하나요?

네! 예를 들어, 여러분이 로마를 배우고 있다면 로마 정치의 왕정, 공화정, 제정이라는 흐름 속에서 어떤 사건과 변화과정이 있었는지를 알아두어야겠죠~

유진이가 전체 맥락을 보고 내용을 보면 이해가 쉬워질꺼예요!

아아 흐름을 기억해두어야겠네요.

현동쌤. 그래도 암기해야 할 것이 너무 많은 것 같아요. 뭐가 중요한 지도 모르겠구요ㅠ

물론 공부를 하려면 전체 내용을 알아야 하죠. 그것보다는 무엇이 중요한지 먼저 알아야 두어야 합니다.

중요한 내용을 중점으로 파악한 뒤 다른 내용도 반복해서 읽고 공부하면 조금 쉬워진답니다.

앞으로는 중요한 것이 무엇인지 한번 봐야겠어요!

공부를 할 때는 반복해서 공부하면 내용을 기억하는데 도움이 됩니다. 학습지, 교과서, 참고서 및 문제집을 여러분의 순서에 맞게 반복해서 보면 좋답니다. 또한, 청킹이라고 하는 것을 이용해보세요. 선생님의 경우 앞 글자를 따서 기억을 하려는 편인데요. 가령, 중국사의 한나라를 배우고 있다면, ㅎ에 해당되는 것을 연결해서 기억하면 쉽겠죠? 흉노, 훈고학, 향거리선제, 호족, 황건적의 난 등을 떠올려보세요. 유진이 화이팅!

현동쌤. 감사합니다!! 지금 당장 역사 공부하러 가야겠어요~

개요

과목	**역사1**	소속	( )학교 ( )학년 이름( )
단원		Ⅰ. 문명의 발생과 고대 세계의 형성	
주제		1. 역사의 의미와 역사 학습의 목적	
핵심내용		- 역사의 의미 - 역사 학습의 목적	

주제 1 역사의 의미와 역사 학습의 목적

내용 정리

선생님의 필기를 바탕으로 여러분이 정리해보세요:)

1. 역사의 의미

과거에 일어났던 사실
과거에 일어났던 사실에 대한 기록

2. 역사 연구 방법
· (사료): 옛 사람들이 문서, 책, 비석, 생활 도구, 집, 전설 등 여러 가지 흔적을 남긴 것

3. 역사 학습의 목적

4. 나의 역사 서술하기(뒷장 참고)

내용 정리

선생님의 필기를 바탕으로 여러분이 정리해보세요:)

핵심 내용

나의 생각

MEMO

과목	역사1	소속	( )학교 ( )학년 이름( )
단원		I. 문명의 발생과 고대 세계의 형성	
주제		2. 세계의 선사 문화와 고대 문명	
핵심내용		- 구석기 시대의 생활 - 신석기 시대의 생활	

주제	1	인류의 출현과 선사 시대

내용 정리

선생님의 필기를 바탕으로 여러분이 정리해보세요:)

1. 인류의 출현과 진화

(오스트랄로피테쿠스 아파렌시스)	최초의 인류
호모 하빌리스	석기 사용
호모 에렉투스	도구와 불 사용
호모 네안데르탈렌시스 (네안데르탈인)	시신 위에 꽃을 뿌리고 매장
(호모 사피엔스)	현생의 인류

2. 구석기 시대의 생활

시기	약 70만 년 전
식생활	채집, (사냥)
의생활	
주생활	(동굴), (막집)
도구	· (뗀석기) · 후기에는 잔석기를 사용
예술·신앙	동굴벽화

3. 신석기 시대의 생활

시기	기원전 8000년경
식생활	(농경)과 (목축)의 시작
의생활	(가락바퀴), 뼈바늘을 사용해 옷 제작
주생활	(움집)
도구	· (간석기) · (빗살무늬 토기)
예술·신앙	· 자연물 숭배 · 동·식물 숭배 · 무당의 주문을 믿음

* 부족: 같은 문화를 가지고 있는 집단

2019년 3월 고2 한국사

1. 밑줄 친 '이 시대'의 사회 모습으로 적절한 것은?

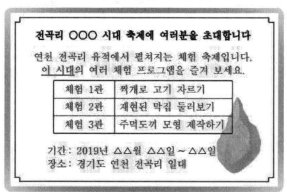

> **전곡리 ○○○ 시대 축제에 여러분을 초대합니다**
>
> 연천 전곡리 유적에서 펼쳐지는 체험 축제입니다.
> <u>이 시대</u>의 여러 체험 프로그램을 즐겨 보세요.
>
> | 체험 1관 | 찍개로 고기 자르기 |
> |---|---|
> | 체험 2관 | 재현된 막집 둘러보기 |
> | 체험 3관 | 주먹도끼 모형 제작하기 |
>
> 기간: 2019년 △△월 △△일 ~ △△일
> 장소: 경기도 연천 전곡리 일대

① 농경과 목축을 시작하였다.
② 빗살무늬 토기를 제작하였다.
③ 금속으로 만든 화폐를 사용하였다.
④ 지배자의 무덤으로 고인돌을 만들었다.
⑤ 사냥과 채집을 통해 식량을 획득하였다.

2020학년도 대수능 한국사

1. 밑줄 친 '시대'에 볼 수 있는 모습으로 가장 적절한 것은?

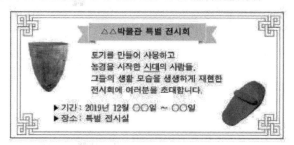

> **△△박물관 특별 전시회**
>
> 토기를 만들어 사용하고
> 농경을 시작한 <u>시대</u>의 사람들.
> 그들의 생활 모습을 생생하게 재현한
> 전시회에 여러분을 초대합니다.
>
> ▶ 기간: 2019년 12월 ○○일 ~ ○○일
> ▶ 장소: 특별 전시실

① 간석기를 제작하는 청년
② 석굴암을 조성하는 장인
③ 덩이쇠로 교역을 하는 상인
④ 청자 병에 기름을 담는 노인
⑤ 측우기로 강우량을 재는 관리

2019년 3월 고3 한국사

1. 밑줄 친 '이 시대'에 볼 수 있는 유물로 적절한 것은?

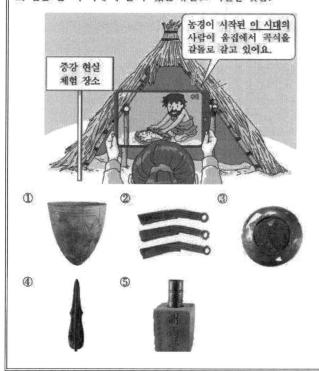

> 증강 현실
> 체험 장소
>
> 농경이 시작된 <u>이 시대</u>의 사람이 움집에서 곡식을 갈돌로 갈고 있어요.

① ② ③
④ ⑤

내용 정리

선생님의 필기를 바탕으로 여러분이 정리해보세요:)

핵심 내용

나의 생각

MEMO

과목	역사1	소속	( )학교 ( )학년 이름( )
단원	I. 문명의 발생과 고대 세계의 형성		
주제	2. 세계의 선사 문화와 고대 문명		
핵심내용	- 메소포타미아 문명과 이집트 문명		

주제 1 4대 문명

내용 정리

선생님의 필기를 바탕으로 여러분이 정리해보세요:)

1. 인류 최초의 문명

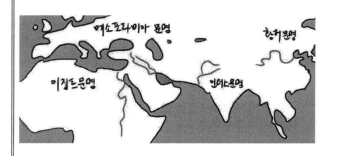

공통점	
· (큰 강)유역에 위치	
· 도시국가를 형성	
· (문자) 사용	
이집트 문명	
메소포타미아 문명	
인더스 문명	
중국 문명	

2. ☆ 오리엔트 지역

	메소포타미아 문명	이집트 문명
지형	(개방적)	(폐쇄적)
강의 범람	불규칙	규칙
세계관	비관적 (현세적)	낙관적 (내세적)

길가메시 서사시
길가메시여, 당신은 영원한 생명을 찾지 못할 것입니다. 신들이 인간을 만들 때 인간에게 죽음도 함께 붙여 주었습니다. 그리고 생명만은 그들이 보살피도록 남겨 두었지요. 좋은 음식으로 배를 채우십시오. 밤낮으로 춤추며 즐기십시오.……왜냐하면 이거 또한 인간의 운명이니까요.

· (페니키아): 지중해에서 해상 무역을 주로 하였으며, 표음 문자 제정→ 알파벳의 기원
· (헤브라이): 팔레스타인 지방에 위치하며 유대교를 믿음

3. 인더스 문명
· ex) 모헨조다로, 하라파
· (아리아인)의 침입으로 멸망
  - (철제 농기구) 보급
  - 브라만교, (카스트제도) 성립

4. 중국 문명
· 상(은): 신권정치, 갑골문자, 청동기 사용
· 주: (봉건제), 유목 민족의 침입으로 약화

2019학년도 3월 고2 세계사

1. (가)에 해당하는 유적으로 옳은 것은?

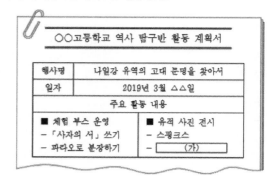

행사명	나일강 유역의 고대 문명을 찾아서
일자	2019년 3월 △△일
주요 활동 내용	

■ 체험 부스 운영
- 「사자의 서」 쓰기
- 파라오로 분장하기

■ 유적 사진 전시
- 스핑크스
- ____(가)____

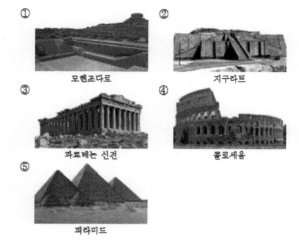

① 모헨조다로
② 지구라트
③ 파르테논 신전
④ 콜로세움
⑤ 피라미드

2019학년도 3월 고3 세계사

1. 다음 유물을 남긴 고대 문명에 대한 설명으로 옳은 것은?

유물 카드 #1

수메르인이 「길가메시 서사시」를 쐐기 문자로 기록한 점토판이다. 우루크의 왕 길가메시가 친구의 죽음을 계기로 영생을 찾아 모험을 떠났다가 현세적 삶의 중요성을 깨닫는다는 내용을 담고 있다.

① 피라미드를 축조하였다.
② 마누 법전을 편찬하였다.
③ 황허강 유역에서 발달하였다.
④ 지구라트라는 신전을 세웠다.
⑤ 하라파에 계획도시를 건설하였다.

정답 1. ④, 1. ⑤

서양사

한눈에 보는 서양사

고대

- 그리스 세계
  - 아테네, 스파르타
- 알렉산드로스 제국
  - 헬레니즘
- 로마 제국
  - 왕정 → 귀족정
  → 공화정 → 제정

중세

- 프랑크 왕국(서)
- 비잔티움 제국(동)
- 봉건 사회
- 교황권 성장
- 십자군 전쟁(1096)
- 도시 성장
- 교황권 쇠퇴

근대

- 르네상스
- 종교 개혁
- 신항로 개척
- 절대 왕정(16~18c)
- 시민 혁명: 영, 미, 프
- 이탈리아, 독일 통일
- 산업혁명(18c)
- 제국주의

현대

- 제1차 세계 대전(1914)
- 러시아 혁명(1917)
- 대공황(1929)
- 제2차 세계 대전(1939)
- 냉전과 탈냉전
- 현대 세계
  - 세계화, 탈권위, 대중문화

그리스 세계와 알렉산드로스 제국

- 특징
  - 산지가 많은 지형
  - 올림피아 제전

- 그리스-페르시아 전쟁
  - 그리스 vs 아케메네스 페르시아

  - 아테네: 민주주의
  - 스파르타: 군주주의

- 펠로폰네소스 전쟁
  - 아테네(델로스 동맹)
    VS
    스파르타(펠로폰네소스 동맹)

- 알렉산드로스 제국
  - 동방원정, 헬레니즘 전파

페리클레스

- 아테네의 민주정치
  - 솔론: 금권정(재산 정도에 따라 정치 참여)
  - 페이시스트라토스: 참주정(독재)
  - 클레이스테네스: 부족제 개편, 도편추방제
  - 페리클레스: 민회 강화, 추첨제, 수당제

현동쌤의 현명하고 동적인 역사!

내용 정리

선생님의 필기를 바탕으로 여러분이 정리해보세요:)

핵심 내용

- [ ] _____
- [ ] _____
- [ ] _____

나의 생각

MEMO

과목	역사 1	소속	( )학교 ( )학년 이름( )
단원	Ⅰ. 문명의 발생과 고대 세계의 형성		
주제	3. 고대 제국들의 특성과 주변 세계의 성장		
핵심내용	- 아테네의 민주 정치		

주제 1 고대 그리스 세계

내용 정리

선생님의 필기를 바탕으로 여러분이 정리해보세요:)

1. 폴리스의 성립

배경	(산지)가 많고 평야가 적어 통일 국가 수립이 어려움
특징	· 구조: 아크로폴리스, 아고라 · 동족 의식: '헬레네스' 명칭 사용, 동일한 언어, (올림피아 제전)

2. 스파르타

스파르타	· 소수의 도리아인이 다수의 원주민을 지배 · 강력한 (군사) 정치, 집단 생활

3. 아테네

아테네	· 귀족정 · 평민의 성장: 상공업의 발달로 부유해진 평민이 중장 보병으로 군대의 주류를 차지 · 솔론: 금권정(재산 정도에 따라 정치적 권리 차등 분배) · 페이시스트라토스: 참주가 되어 정권 장악 · 클레이스테네스: 부족제 개편, 500인 평의회, (도편추방제) 클레이스테네스는 전국을 데모스에 따라 30개 구역으로 나누었는데, 그중에 10개 구역은 시내 지역에, 10개 구역은 해안 지역에, 10개 구역은 내륙 지역에 있었다. 그는 30개 구역의 땅을 트리티스라 부르며, 각각 한구역씩 조합하여 총 세 구역을 각 부족에게 추첨으로 할당하였다. – 아리스토텔레스, 아테네인의 정체 – · 페리클레스: 민회 권한 강화, (수당제)(공무 수당 지급), (추첨제)(특수직을 제외한 관직과 배심원을 추첨)

4. 그리스-페르시아 전쟁과 펠로폰네소스 전쟁

그리스 -페르시아 전쟁	· 그리스 vs 아케메네스 페르시아 · 그리스 세계의 승리와 아테네의 번영
펠로폰네소스 전쟁	· 델로스 동맹(아테네 중심) vs 펠로폰네스 동맹(스파르타 중심) · 펠로폰네소스 동맹의 승리

5. 그리스의 문화

철학	· 자연철학 · 소피스트 · 소크라테스
문학	호메로스 일리아스, 오디세이아
역사	헤로도토스, 투키디데스
기타	· (조화)와 (균형)의 이상적인 미 추구 · 파르테논 신전

2019학년도 대수능 세계사

7. (가) 도시 국가에 대한 설명으로 옳은 것은? [3점]

"나그네여, 가서 라케다이몬인들에게 전해 주오. 우리가 그들의 명령을 이행하고 이곳에 누워 있다고." 이 구절은 페르시아의 대군에 맞서 테르모필레에서 싸운 (가) 병사들의 장렬한 죽음을 증언한다. 이 병사들의 용맹함은 독특한 교육 제도와 단체 생활에서 비롯되었다. 남성들은 '아고게'에서 유년 시절부터 군사 훈련을 받았고, 15명 정도의 인원이 함께 공동 식사를 하는 '피디티온'에 속하였다. 한편, 여성들도 달리기와 창던지기 등으로 강인함을 길렀고, 남성들과 함께 운동 경기와 종교 행사에 참여하였다.

① 500인 평의회를 설치하였다.
② 호르텐시우스법을 제정하였다.
③ 페르시아와 이집트를 정복하였다.
④ 펠로폰네소스 동맹을 주도하였다.
⑤ 카르타고 등의 식민 도시를 건설하였다.

2020학년도 대수능 세계사

3. 밑줄 친 '전쟁'의 결과로 옳은 것은?

아테네는 에게해 연안의 도시 국가들에게 동맹의 의무를 엄격하게 요구하였다. 그러나 동맹국은 시민들이 출병하길 싫어하여 금전으로 그에 상응하는 대가를 지불하였다. 이 자금을 바탕으로 아테네는 강력한 해군을 보유하게 되었고 동맹국들을 더욱 압박하였다. 이러한 상황에서 아테네가 전략적 요충지에 위치한 코르키라와 동맹을 맺자, 이에 위협을 느낀 일부 도시 국가들이 아테네를 상대로 전쟁을 일으켰다.

① 라티푼디움이 확산되었다.
② 아테네가 해상 제국으로 발전하였다.
③ 스파르타가 그리스의 패권을 장악하였다.
④ 페이시스트라토스가 참주정을 수립하였다.
⑤ 클레이스테네스가 도편 추방제를 도입하였다.

정답 7. ④ , 3. ③

내용 정리

선생님의 필기를 바탕으로 여러분이 정리해보세요:)

핵심 내용

나의 생각

MEMO

과목	역사 1	소속	( )학교 ( )학년 이름( )
단원	Ⅰ. 문명의 발생과 고대 세계의 형성		
주제	3. 고대 제국들의 특성과 주변 세계의 성장		
핵심내용	- 헬레니즘 문화		

주제	1	헬레니즘

내용 정리

선생님의 필기를 바탕으로 여러분이 정리해보세요:)

1. 알렉산드로스 제국의 성립과 발전

성립	알렉산드로스의 동방 원정 ex) 이소스 전투: 아케메네스 페르시아 격파
동서 융합 정책	· 정복지에 곳곳에 (알렉산드리아) 건설 · 그리스인과 (페르시아인)의 결혼 장려 · 페르시아 통치 체제 수용, 피정복민 문화 존중
멸망	알렉산드로스 사후 마케도니아, 시리아, 이집트 등으로 분열

2. 헬레니즘 문화

특징	· (그리스 문화)와 (오리엔트 문화)의 융합 · (개인주의)와 (세계 시민주의)
내용	· 철학: 스토아학파(금욕), 에피쿠로스 학파(쾌락) · 자연과학: 에우클레이데스(기하학), 아르키메데스(부력), 아리스타르코스(태양중심설) · 예술: 사실적이고 관능적인 아름다움 추구, 조각→ (간다라 양식) 성립에 영향

로마 제국

현동쌤의 현명하고 똑똑한 역사

사진으로 보는 로마 문화: 실용적

수도교   도로   콜로세움

*출처: 위키백과

옥타비아누스(아우구스투스): 프린켑스
5현제: 안정과 평화
군인 황제
디오클레티아누스: 4분할 통치
콘스탄티누스: 수도 천도, 크리스트교 공인
테오도시우스: 크리스트교 국교화
동서 분열

제정

서로마 멸망
게르만족 침입

로마
콘스탄티노플

1차: 카이사르
2차: 옥타비아누스
삼두정치

평민 권한 ↑

공화정

귀족 중심   VS

왕정

한니발의 코끼리 부대

배경
- 상공업 발달
- 평민 군대 참여
내용: 평민화, 호민관 설치
포에니 전쟁
그라쿠스 형제 개혁: 토지 분배 시도
대농장 확대

농지별 공물법

- 임명 라티푼디움
- 노예로 운영되는 농장
- 결과: 자영농 몰락 초래해 로마 경제 악화
  그라쿠스 형제의 개혁 등장 계기

"조국을 위해 싸우고 죽어가는 로마 시민에게
남는 것은 햇볕과 공기밖에 없다. 집도 없고 땅도
없어 처자식을 데리고 떠돌고 있다."

내용 정리

선생님의 필기를 바탕으로 여러분이 정리해보세요:)

핵심 내용

- ☑ _____
- ☑ _____
- ☑ _____

나의 생각

MEMO

과목	역사 1	소속	( )학교 ( )학년 이름( )
단원	Ⅰ. 문명의 발생과 고대 세계의 형성		
주제	3. 고대 제국들의 특성과 주변 세계의 성장		
핵심내용	- 그라쿠스 형제의 개혁 - 아우구스투스의 제정		

주제 1 로마 제국의 발전

1. 로마 공화정의 발전

건국	기원전 8세기, 라틴인이 도시 국가 건설
발전	· 공화정 수립 · 평민권 신장: (호민관) 제도, 평민회, 12표법·리키니우스법·호르텐시우스법 · 로마의 팽창: (카르타고)와의 전쟁에서 승리로 (지중해) 패권 장악
위기	· 자영농 몰락: 대농장(라티푼디움)확산 · (그라쿠스) 형제의 개혁 - (농지법): 유력자 토지 제한과 자영농 육성 시도 - (곡물법) - 귀족들의 반대로 실패 - 이후 귀족과 평민의 갈등 발생, 스파르타쿠스의 난
삼두정치	제 1차 삼두정치→ 카이사르→ 제2차 삼두정치→ 옥타비아누스

2. 로마 제정의 성립과 쇠퇴

성립과 발전	· (옥타비아누스)의 황제권 행사 - 아우구스투스 칭호 - 프린켑스 · 5현제
혼란과 중흥	· 군인 황제 · (디오클레티아누스): 전제군주제 강화, 제국 4분할 통치 · 콘스탄티누스: 크리스트교 공인, 니케아 공의회(아타나시우스파 삼위일체설 인정), 콘스탄티노플 천도

옥타비아누스

원로원 의원들은 옥타비아누스의 특별한 지위를 인정하기 위해 그에게 '아우구스투스'라는 명예로운 호칭을 수여하였고, 그는 이를 받아들였다. 옥타비아누스가 '프린켑스'를 자신의 직함으로 선택한 것은 탁월한 조치였다. 또한 그는 집정관과 호민관의 권한을 함께 보유하기도 하였다. 이런 식으로 해서 원로원은 그에게 황제의 권력에 맞먹는 실권을 제공하였다. 공화정의 외양은 그대로 유지되었다. - 토마스 R. 마틴, 고대 로마사 -

분열과 멸망	· 분열: 테오도시우스 사후 분열 - 서로마: 게르만족 출신 용병에 의해 멸망 - 동로마: 비잔티움 제국으로 천여년 간 유지

3. 로마의 문화

특징	· 서양 고전 문화 완성 · (실용)적 문화
법률	· 12표법 · 시민법 · 만민법
건축, 토목	· 바실리카 양식 · 콜로세움 · (도로)와 (수도)
철학, 역사	· 스토아 철학 · 리비우스 로마사

4. 크리스트교

탄압	(황제 숭배 거부), (군대 복무 거부) 등으로 탄압
공인	콘스탄티누스의 (밀라노 칙령)
발전	· 니케아 공의회에서 아타나시우스파의 삼위일체설 채택 · 테오도시우스의 (국교) 선포

* 깨톡으로 보는 인물: 그라쿠스 형제

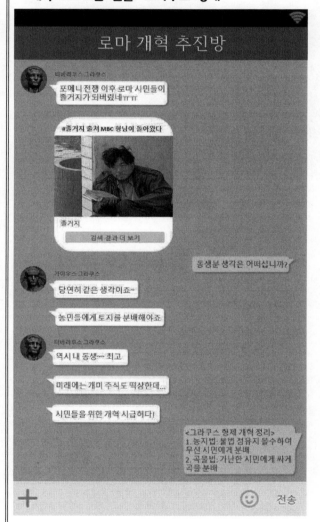

2017학년도 대수능 세계사 ex) 자유의 수호자 = 옥타비아누스

6. 밑줄 친 '자유의 수호자'에 대한 설명으로 옳은 것은?

> 우리는 동방으로부터 들려온 소식에 분개하였다. 이집트 여왕은 줄곧 우리의 권력을 탐하여 왔다. 사실 여왕의 배후에는 안토니우스가 있었다. 만일 안토니우스가 권좌를 차지하였다면, 우리의 도시들은 여왕의 수중에 떨어지고 모든 권력은 이집트로 넘어갔을 것이다. 그러나 이러한 위기 상황에서 자유의 수호자가 나타나 저들을 격파하고 분열을 종식시켰다.
>
> — 카시우스 디오 —

① 밀라노 칙령을 발표하였다.
② 호르텐시우스법을 제정하였다.
③ 제국의 4분할 통치를 실시하였다.
④ 스파르타쿠스의 난을 진압하였다.
⑤ 프린켑스(제1 시민)를 자처하였다.

2023학년도 대수능 세계사

7. (가) 인물에 대한 설명으로 옳은 것은?

〈갈레리우스 관용령〉

> 우리 로마인들은 법규가 모두의 관습에 부합하고 공익을 위한 것이 되도록 노력해 왔다. 특히 자기 조상의 종교를 저버린 크리스트교도들도 올바른 생각으로 돌아오게 하는 것이 우리의 목표였다. …(중략)… 디오클레티아누스의 칙령이 선포된 이후, 크리스트교도 중 일부는 두려움에 굴복하였고, 또 일부는 위험을 감수하였다. 그럼에도 여전히 많은 크리스트교도가 이러지도 저러지도 못하고 있는 것이 현실이다. 따라서 우리는 늘 모든 사람에게 관대하게 대해 왔듯이, 그들에게 관용을 베푸는 것이 합당하다고 판단하였다.

이 관용령이 내려진 2년 후에 서방 황제 **(가)** 와/과 동방 황제 리키니우스는 크리스트교도는 물론 다른 사람에게도 종교의 자유를 인정하는 칙령을 내렸어요.

① 악티움 해전에서 승리하였다.
② 제1차 삼두 정치를 주도하였다.
③ 콘스탄티노폴리스로 천도하였다.
④ 크리스트교를 국교로 선포하였다.
⑤ 유스티니아누스 법전을 편찬하였다.

정답 6. ⑤, 7. ③

* 로마의 영토: 유럽, 아프리카, 서아시아에 걸친 대제국

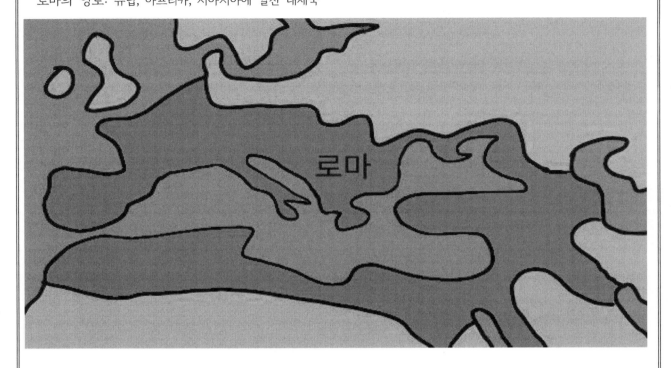

로마 멸망 후 변화

• 프랑크 왕국의 성립
 - 게르만족

• 노르만족의 침입

• 왕권의 약화와 봉건제

• 기사(영주)세력의 성장
 - 노르만족 침입 이후 봉건 사회 안정에 기여
 - 경제 발달로 세력 확대

• 상인 집단의 성장
 - 잉여 생산물 판매로 성장
 - 상파뉴 정기시 발달
 - 길드 조직, 코뮌 운동으로 영주로부터 독립
 - 왕권과 결탁

• 왕권의 성장과 교회 세속화

왕
제후
기사
농노

카롤루스 대제

• 프랑크 왕국의 발전
 - 클로비스: 크리스트교 개종
 - 카롤루스 마르텔: 이슬람 격퇴
 - 피핀: 이탈리아 중부 교황에게 기증
 - 카롤루스 대제: 서로마 황제 대관식, 카롤링거 르네상스

• 프랑크 왕국이 존속한 이유
 ① 근거리 이동
 ② 크리스트교 수용
 ③ 로마인과 융합

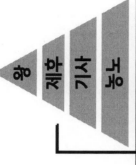

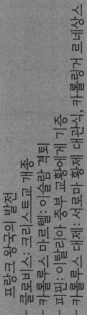

내용 정리

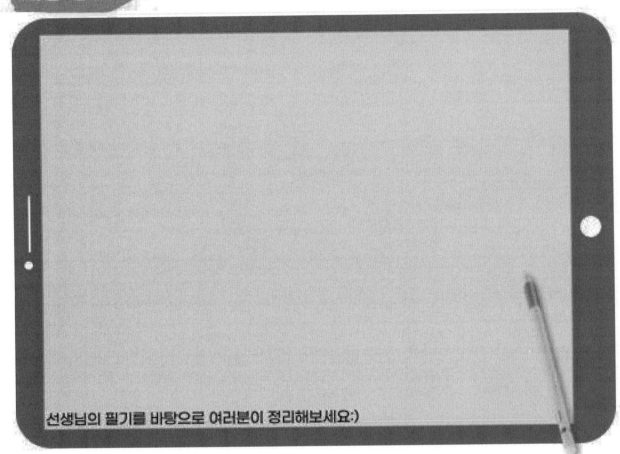

선생님의 필기를 바탕으로 여러분이 정리해보세요:)

핵심 내용

나의 생각

MEMO

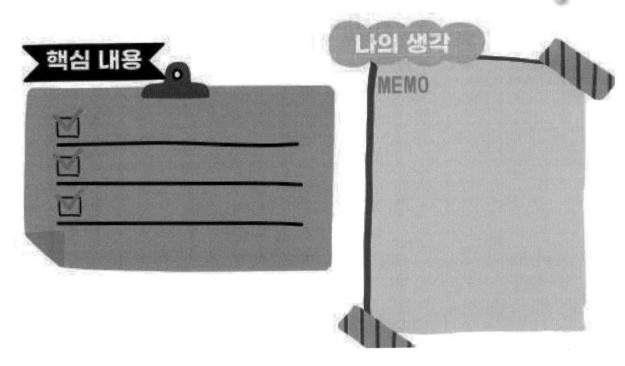

과목	역사1	소속	( )학교 ( )학년 이름( )
단원	Ⅱ. 세계 종교의 확산과 지역 문화의 형성		
주제	4. 크리스트교 문화의 형성과 확산/ 프랑크 왕국		
핵심내용	- 프랑크 왕국 - 봉건제		

주제	1	서유럽 세계의 형성

내용정리

선생님의 필기를 바탕으로 여러분이 정리해보세요:)

1. 게르만족의 이동

배경	· 인구 증가 · 로마 제국의 약화 · 4세기 후반 (훈족)의 이동
경과	게르만족이 이동해 서로마에 정착
결과	게르만족 출신 용병 대장 오도아케르에 의해 서로마 제국 멸망

2. 프랑크 왕국

클로비스	· 메로베우스 왕조 개창 · 로마 가톨릭교(아타나시우스파)로 개종
카롤루스 마르텔	(투르푸아티에) 전투에서 이슬람 격퇴
피핀	· 카롤루스 왕조 개창 · 롬바르드왕국 공격→ 빼앗은 영토를 (교황)에게 기증
카롤루스 대제	· 옛 서로마 제국의 영토 대부분 회복 · (서로마 황제 대관식)(800) · 카롤루스 (르네상스): 궁정 학교 설립, 수도원의 고전 연구 후원
분열	카롤루스 대제 사후 동프랑크, 서프랑크, 중프랑크로 분열(신성로마제국-> 독일, 카페 왕조-> 프랑스, 이탈리아 기원) - (베르됭)조약 - (메르센)조약

3. 봉건 사회의 형성

배경	· 프랑크 왕국의 분열 · 노르만족, 마자르족, 이슬람 세력 등의 침입
구조	· 주종제: 봉토를 매개로 맺어진 주군과 봉신의 쌍무적 (　계약　) 관계, 봉신의 (　불입권　)(독자적 재판권, 징세권) 인정 · 장원제 　- 구성: 영주 직영지와 농민 보유지 　- 운영: 삼포제 　- (　농노　): 영주의 지배를 받는 예속 농민, 영주 직영지 경작, 부역과 공납의 의무, 거주 이전 자유 없음, 결혼 및 재산 소유 가능

* 깨톡으로 보는 인물: 카롤루스 대제

2021학년도 대수능 세계사

10. (가) 국왕에 대한 설명으로 옳은 것은?

> 다마스쿠스의 궁정에서 축출된 일족이 코르도바를 수도로 삼아 이베리아반도 북동부로 세력을 확장하였다. 이에 위협을 느낀 도시들은 피레네산맥 너머 파더보른의 왕궁으로 사신들을 급파하였다. 이들은 왕국의 통치자 (가) 에게 다음과 같이 아뢰었다. "당신의 부친께서는 새로운 왕조를 개창하고 이탈리아에서 적들을 격퇴하였습니다. 부친의 공덕을 이은 왕국의 유일무이한 왕이시여, 우리가 한마음이 되어 저 위협적인 군대를 격파한다면 신의 평화를 맞이할 수 있지 않겠습니까?"

① 베르됭 조약을 체결하였다.
② 로마 가톨릭교로 개종하였다.
③ 메로베우스 왕조를 무너뜨렸다.
④ 투르·푸아티에 전투에서 승리하였다.
⑤ 궁정 학교를 세워 고전 연구를 후원하였다.

정답 10. ⑤

비잔티움 제국

그리스 정교, 돔 천장

전성기	유스티니아누스 황제 - 옛 로마 영토 대부분 회복 - 유스티니아누스 법전: 로마법 집대성 - 성 소피아 성당 건축
쇠퇴	- 잦은 외부 침략 - 이슬람 세력의 침입 - 11세기 셀주크 투르크의 공격
멸망	- 제 4차 십자군의 수도 점령 - 오스만 제국의 공격으로 수도 함락

• 황제 교황주의

모자이크 양식

프랑크 왕국
콘스탄티노플
비잔티움 제국

내용 정리

선생님의 필기를 바탕으로 여러분이 정리해보세요:)

핵심 내용

나의 생각

MEMO

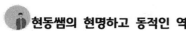

과목	역사1	소속	( )학교 ( )학년 이름( )
단원	Ⅱ. 세계 종교의 확산과 지역 문화의 형성		
주제	4. 크리스트교 문화의 형성과 확산/ 비잔틴 제국		
핵심내용	- 유스티니아누스 황제		

주제	1	동유럽 세계의 형성

내용 정리

선생님의 필기를 바탕으로 여러분이 정리해보세요:)

1. 비잔티움 제국: 서로마 제국 멸망 후 약1000년 지속

정치	(황제교황주의): 강력한 권력을 가진 황제가 교회를 지배
수도	(콘스탄티노폴리스)
군사	유스티니아누스 황제 이후 군관구제·둔전병제 실시

유스티니아누스 황제

2. 비잔티움 제국의 변천

전성기	유스티니아누스 황제 - 옛 로마 영토 대부분 회복 - (유스티니아누스) 법전: 로마법 집대성 - (성 소피아 성당) 건축
쇠퇴	· 잦은 외부 침략 · 이슬람 세력 침입 · 11세기 셀주크 투르크 의 공격 · (제 4차 십자군)의 수도 점령 십자군을 자처한 자들이 콘스탄티노폴리스로 쳐들어가 진귀한 재화들을 약탈하였다. 가난한 이방인 신세였던 저들이 온갖 금은보화와 값비싼 교역품들을 독차지하여 졸지에 벼락부자가 되었던 것이다. - 귄터, 연대기 -
멸망	오스만 제국의 공격으로 수도 함락

3. 비잔티움 제국의 문화

특징	· 그리스 정교 · 그리스어 공용어 · 그리스 고전 연구
건축	비잔티움 양식: 돔, 모자이크
영향	· (슬라브족)에 영향을 줌 · 동유럽 문화 발전에 영향을 줌

4. 동유럽 문화의 형성

 - 남슬라브족의 세르비아인의 그리스 정교 수용
 - 키예프 공국: 동슬라브족 지배, 그리스 정교 수용,
키릴 문자 사용, 키예프에 성 소피아 성당 건축
 - 모스크바 대공국: 비잔티움 계승 자처, 차르 칭호 사용

2016학년도 대수능 세계사

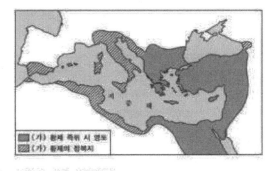

10. (가) 황제에 대한 설명으로 옳은 것은? [3점]

① 로마법을 집대성하였다.
② 성상 숭배 금지령을 발표하였다.
③ 콘스탄티노폴리스로 수도를 옮겼다.
④ 이탈리아 일부 지역을 교황령으로 기증하였다.
⑤ 전제 군주제을 확립하고 제국을 4분할 통치하였다.

정답 10. ①

세속과 교권의 충돌

카노사의 굴욕

교황 VS 황제

- 교회 개혁운동(클뤼니 수도원)
- 카노사의 굴욕
- 십자군 원정
- 인노켄티우스 3세

황제 VS 교황

절대 왕정의 기초 마련

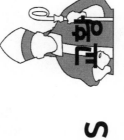

아비뇽 유수

아비뇽

현동쌤의 현명하고 동적인 역사!

내용 정리

선생님의 필기를 바탕으로 여러분이 정리해보세요:)

핵심 내용

나의 생각

MEMO

과목	역사1	소속	( )학교 ( )학년 이름( )
단원	Ⅱ. 세계 종교의 확산과 지역 문화의 형성		
주제	4. 크리스트교 문화의 형성과 확산		
핵심내용	- 카노사의 굴욕 - 십자군 전쟁		

주제 1 크리스트교의 확산

내용 정리

선생님의 필기를 바탕으로 여러분이 정리해보세요:)

1. 동서 교회의 분열

(성상 파괴령) (726)	비잔티움 제국의 황제 레오 3세가 반포→ 동서교회의 대립 격화
동서 교회의 분열 (1054)	비잔티움 제국의 황제를 수장으로 그리스 정교회 vs 교황 중심의 로마 가톨릭

2. 로마 가톨릭교회의 발전

교회의 성장	· 프랑크 왕국과 제휴 · 유럽인의 일상 지배 · 기증과 개간으로 막대한 토지 소유
교회의 세속화	· 세속 권력이 (성직자 임명권) 차지 · 성직매매 → 클뤼니 수도원 중심의 교회 개혁 운동

3. 교황과 황제의 대립

(카노사의 굴욕) (1077)	· 배경: 교황 그레고리우스 7세가 세속 군주의 성직자 서임 금지 · 전개: 신성 로마 제국 황제 하인리히 4세 반발→ 교황의 황제 파문→ 황제가 이탈리아 카노사 성으로 찾아가 사죄
교황권의 성장	· (보름스 협약)(1122): 교황의 성직자 서임권 차지 · 인노켄티우스 3세: 교황권의 전성기 (교황은 해, 황제는 달)

4. 중세 크리스트 문화

철학	· 중세 초기: 아우구스티누스 교부 철학 · 십자군 전쟁 이후: 스콜라 철학, 토마스 아퀴나스 (신학대전)(이성과 신앙의 조화)
교육	· 중세 초기: 교회, 수도원 중심 · 12세기 이후: 대학중심으로 발전
문학	기사 문학: 롤랑의 노래, 니벨룽겐의 노래
건축	· (로마네스크) 양식(11세기): 원형 아치, 돔 · (고딕) 양식(12세기): 첨탑, 스테인드글라스

5. 십자군 전쟁

배경	11세기 셀주크 튀르크의 예루살렘 점령→ 비잔티움 황제의 도움 요청→ 교황 우르바누스 2세의 (클레르몽) 공의회 소집
전개	· 1차: 성지 탈환, (예루살렘) 왕국 건설 · 4차: (콘스탄티노폴리스) 점령, 라틴제국 수립 십자군을 자처한 자들이 콘스탄티노폴리스로 쳐들어가 진귀한 재화들을 약탈하였다. 가난한 이방인 신세였던 저들이 온갖 금은보화와 값비싼 교역품들을 독차지하여 졸지에 벼락부자가 되었던 것이다. - 귄터, 연대기 -
결과	· 정치 - 교황권의 약화, 제후와 기사 계층 몰락 - 왕권 강화 · 경제: (지중해 교역과 동방 교역 발달) · 문화: (이슬람 문화와 비잔티움 문화의 서유럽으로 유입)

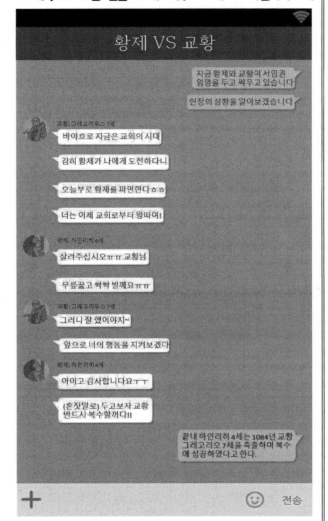

내용 정리

선생님의 필기를 바탕으로 여러분이 정리해보세요:)

핵심 내용

- ☑ _____
- ☑ _____
- ☑ _____

나의 생각

MEMO

과목	역사1	소속	( )학교 ( )학년 이름( )
단원	Ⅱ. 세계 종교의 확산과 지역 문화의 형성		
주제	4. 크리스트교 문화의 형성과 확산		
핵심내용	- 장원의 해체 - 교황권의 쇠퇴		

주제 1 중앙 집권 국가의 등장

내용 정리

선생님의 필기를 바탕으로 여러분이 정리해보세요:)

1. 도시의 성장

자치권 획득	영주에게 대항, 특허장 획득→ 독자적으로 도시 행정 운영
길드	상인 길드와 수공업자 길드의 독점적인 상공업 활동

2. 장원의 붕괴

배경	· 화폐 경제의 발달 · 화폐 지대의 납부 · (흑사병) 유행으로 노동력 감소
결과	자영 농민 증가, 장원 해체
농민 봉기	일부 영주들의 속박 강화→ (자크리)의 난(프랑스), (와트 타일러)의 난(영국)

3. 교황권의 쇠퇴

배경	십자군 전쟁 실패로 교황의 권위 약화
(아비뇽 유수) (1309~ 1377)	교회와 성직자에 대한 과세 문제로 갈등(필립 4세 vs 보니파키우스 8세)→ 교황청을 아비뇽으로 옮김
교회의 대분열 시대 (1378~ 1417)	로마, 아비뇽에서 각각 교황 선출
콘스탄츠 공의회 (1414~ 1418)	· 교회를 비판하는 위클리프, 후스를 공격(위클리프 이단화, 후스 화형) · 교회 대분열 수습 노력

4. 중앙 집권 국가로의 발전

영국	· 백년전쟁 발루아 가의 필리프, 스스로 프랑스 왕이라 칭하는 자여, 당신에게 프랑스의 적법한 지배권이 바로 영국에 귀속되어 있음을 수차례 일깨워 주었도다. 그럼에도 당신은 이에 대한 합당한 답변조차 내놓지 못하였도다. 이에 나는 프랑스의 왕위 계승권과 플랑드르 지방에 대한 통치권을 확립하고자 전면전까지도 불사할 것이다. 　　　　　　- 영국 왕 에드워드 3세 - · 장미전쟁
프랑스	백년전쟁: 잔다르크의 활약
독일	대공위시대→ 7선 제후의 황제 선출을 인정한 (황금문서) 공포

2017학년도 대수능 세계사

7. (가) 제국에 대한 설명으로 옳은 것은? [3점]

그레고리우스 7세시여, 당신은 세속 권력에 맞서 교회의 권위를 바로 세우신 진정한 사도입니다.

특히 서임권 문제로 당신께 도전한 (가) 의 황제를 파문하신 일은 오래 기억될 것입니다.

① 황금문서를 공포하였다.
② 밀레트 제도를 시행하였다.
③ 성상 파괴령을 반포하였다.
④ 둠즈데이 북을 작성하였다.
⑤ 그리스 어를 공용어로 사용하였다.

2018학년도 대수능 세계사

19. (가)에 들어갈 내용으로 옳은 것은?

이 건물은 한때 교황청으로 이용되었습니다. 필리프 4세의 압력을 받던 교황 클레멘스 5세는 교황청을 아비뇽으로 옮겼습니다. 그레고리우스 11세가 로마로 돌아가기까지의 시기를 아비뇽 유수라고 부르는데, 이 시기 유럽에서는 (가)

① 라틴 제국이 성립되었습니다.
② 백년 전쟁이 시작되었습니다.
③ 황제 레오 3세가 성상 파괴령을 내렸습니다.
④ 노르망디 공 윌리엄이 잉글랜드를 정복하였습니다.
⑤ 콘스탄츠 공의회가 후스를 이단으로 규정하였습니다.

정답 7. ①, 19. ⑤

근대 사회의 변화1

- 르네상스
  - 이슬람 팽창
  - 암흑기 중세 시대

- 종교개혁
  - 알프스 이북: 비판적
  - 이탈리아: 고전 회귀
    → ex) 미켈란젤로
  - 루터 95개조 반박문
  - 칼뱅 예정설

- 신항로 개척
  - 콜럼버스: 서인도 제도
  - 바스코 다 가마: 희망봉, 인도
  - 마젤란: 세계 일주
  - 결과: 상업 혁명, 가격 혁명 초래
  - 후원
  - 절대왕정
    - 서: 프랑스 루이 14세
    - 동: 러시아 표트르 대제
  - 왕권 신수설, 중상주의, 관료제, 상비군

내용 정리

선생님의 필기를 바탕으로 여러분이 정리해보세요:)

핵심 내용

- ☑ _____
- ☑ _____
- ☑ _____

나의 생각

MEMO

과목	역사1	소속	( )학교 ( )학년 이름( )
단원	Ⅱ. 세계 종교의 확산과 지역 문화의 형성		
주제	4. 크리스트교 문화의 형성과 확산		
핵심내용	- 이탈리아 르네상스 - 알프스 이북 르네상스		

주제 1 르네상스

내용 정리

선생님의 필기를 바탕으로 여러분이 정리해보세요:)

1. 르네상스: 14~16세기에 전개된 고대 그리스·로마의 고전 문화 부흥 운동으로 (부활, 재생)을 의미한다.

2. 이탈리아 르네상스

배경	· 옛 (로마) 제국의 중심지로 고전 문화 잔존 · (지중해) 무역 중심지로 경제적 번영 · 부유한 상인·군주의 문예활동 장려
특징	· 그리스·로마 시대 작품 수집 · 인문주의 발달
내용	· 인문주의자 　- 페트라르카: 서정시 　- 보카치오: 데카메론 　- 마키아벨리: 군주론 · 미술 　- 보티첼리 비너스의 탄생 　- 레오나르도 다빈치 모나리자 　- 미켈란젤로 다비드상 　- 라파엘로 아테네 학당 · 건축: 열주와 돔 강조

3. 알프스 이북 르네상스

배경	이탈리아 르네상스의 전파
특징	(사회 비판적)→ 종교개혁에 영향
내용	· 인문주의자 　- 에라스뮈스: 우신예찬 　- 토마스 모어: 유토피아 · 미술 　- 반에이크 형제 유화 그림 　- 브뤼헐 서민생활 모습을 표현 · 문학: 자국어로 쓴 국민 문학 발전 　- 세르반테스 돈키호테 　- 셰익스피어 로미오와 줄리엣, 햄릿, 리어왕 등

4. 과학 기술의 발달

· 코페르니쿠스: 지동설 주장
· 갈릴레이: 망원경으로 지동설 입증
· 화약, 나침반 개량
· 구텐베르크: (활판 인쇄술) 발명→ 종교개혁에 영향

<자료 1> 메디치 가문의 예술 후원

아버지는(조반니 디 비치 데 메디치) 예술가를 지원하는 정도의 관심을 가졌지만, 코시모는 아예 예술 후원을 메디치 가문이 존재하는 이유로 규정했다. … 도시 여러 곳에서 확인되는 메디치 가문의 예술 후원은 피렌체 시민들의 심리를 경계심에서 경외감을 전환하는 데 결정적인 역할을 했다. … '우리 모두를 위해 아낌없이 베푼 사람'이라는 대중의 인식은 메디치 가문이 사소한 잘못을 저지른 것에 대해서는 눈감아주어야 한다는 부채 의식을 조장했다. 또한 예술가들에게 보여준 파격적인 대우는 대중의 기대 심리를 조장하기도 했다. 나도 기회 가 오면 엄청난 혜택을 누릴 수 있다는 생각에, 메디치 가문과 일면식이 없는 사람도 그 앞에서 연신 고개를 숙였다.
- 붉은 백합의 도시, 피렌체, 김상근, p.205 -

<자료 2> 르네상스의 예술가 ex) 미켈란젤로

작품	설명
 바쿠스	미켈란젤로의 첫 조각 작품으로 볼 수 있다. 일명 그리스·로마 신화에 등장하는 디오니소스 신의 형상이 다. 다소 술에 취한 듯한 모습이 인상적이다.
 피에타	예수의 죽음을 성모와 함께 조각으로 표현하였다. 자식을 잃은 슬픔을 알 수 없는 표정의 성모로 표현 하였다. 예수를 감싸고 있는 성모는 안정감이 있고 포 용력이 있어 보인다. 몸보다 큰 옷깃이 예수를 받치고 있다. 　그러나, 신은 위에서 아래를 내다보므로 위에서 이 작품을 보았을 때 오히려 예수가 큰 비중을 차지하고 있다. 예수의 표정도 고통보다는 편안해 보인다. 　이 조각은 처음에 미켈란젤로가 내 팽겨친 작품이 었다. 후에 사람들이 관심을 갖기 시작하자 '피렌체에 서 온 미켈란젤로' 작품이라고 성모의 가슴쪽 띄에 글 자를 새겼다. 후에 미켈란젤로는 이러한 자신의 행위 에 대해 크게 후회와 반성을 했다고 한다.

교황의 요청을 받아 약 4년에 걸쳐 완성한 벽화이다. 현재 바티칸 공화국 시스타나 성당에 있다. 가운데 예수를 기점으로 단테의 신곡의 세계관을 반영한 것이 특징이다. 위는 천국, 중간은 연옥, 아래는 지옥을 표현하고 있다. 이 세 가지 세계는 극명하게 대비된다.

이 벽화에는 현실 인물 세 명이 등장하는데 교황, 추기경, 자신이다. 교황은 두 개의 키를 들고 있는 인물로 그렸으며, 추기경은 지옥에서 뱀에 물리고 있는 인물로 표현하였고, 자기 자신을 가죽 껍데기로 묘사하였다.

미켈란젤로는 4년 동안 이 벽화를 그리는데 몰두하여 온 힘을 쏟았고 목과 허리 통증을 유발하였다. 그만큼 그의 대표작 중 대표작이라고 평가할만하다.

이 작품은 처음 모두 옷을 벗은 상태였다. 때문에 많은 비판을 받았고, 후에 제자가 그림을 수정하였다.

1990년 복원을 통해 칙칙한 색을 걷어내고 밝은 색채를 되찾았으나 특유의 중후한 색채를 잃었다는 비판을 받기도 한다.

최후의 심판

피렌체는 메디치 가문의 오랜 지배를 받았다. 공화국이 들어서면서 시민들의 정치적 열망이 담긴 것이 바로 이 다비드상이다. 부릅뜬 눈, 찡그린 미간, 돌을 던질듯한 자세, 목과 팔의 힘줄까지 섬세한 표현으로 다윗의 감정을 담았다.

특히, 기존에 다윗상이 돌을 던진 후 골리앗의 베어진 머리 등을 표현한 것이 많았다면 돌을 던지기 전 모습을 표현한 것이 다르다.

기존에는 건물 지붕에 배치하려고 하였으나 시청 앞 시뇨리아 광장에 배치하면서 더욱 정치적 상징물이 되었다. 크기는 약 5m로 거대한 편이며, 지지대 오직 하나를 두고 균형을 유지하고 있다.

현재는 피렌체 아카데미아 미술관에 있으며, 이를 보이기 위해 매년 관광객이 끊이지 않는다.

다비드상

내용 정리

선생님의 필기를 바탕으로 여러분이 정리해보세요:)

핵심 내용

나의 생각

MEMO

과목	역사1	소속	( )학교 ( )학년 이름( )
단원	Ⅱ. 세계 종교의 확산과 지역 문화의 형성		
주제	4. 크리스트교 문화의 형성과 확산		
핵심내용	- 종교개혁		

주제 1 종교개혁

내용 정리

선생님의 필기를 바탕으로 여러분이 정리해보세요:)

1. 종교개혁

배경	· 교회의 부패, 일부 성직자 타락 · (활판 인쇄술)의 발달 · 알프스 르네상스의 (교회 비판)적 성격
루터	· 배경: 교황 레오 10세 성 베드로 성당 증축을 위한 면벌부 판매 · 루터의 (95개조 반박문) 발표(1517) · 제20조: 교황이 모든 벌을 면제한다고 선언한다면 그것은 진정한 의미에서의 모든 벌이 아니라, 단지 교황 자신이 내린 벌을 면제한다는 것뿐이다. · 제26조: 진정으로 회개하는 모든 크리스트교도는 면벌부가 없어도 죄와 벌로부터 온전히 사면받을 권리를 갖는다. · **아우크스 부르크 화의** 체결(1555): (루터파) 공식 인정

칼뱅	· 칼뱅이 제네바에서 주도 · (예정설) · 근면 검소한 직업 생활 강조 · 신흥 상공업자의 호응 · 영국, 프랑스, 네덜란드로 전파
영국	· 배경: 헨리 8세가 이혼 문제로 교황과 갈등 · 내용 - 수장법: 국왕이 영국 교회 수장임을 선포 - 수도원 해산, 교회 토지 몰수 - 엘리자베스 1세 통일령: 영국 국교회 확립

30년 전쟁 (1616~48)	· 구교와 신교의 대립 · 신성 로마 제국 영토에서 발생 · **베스트 팔렌 조약**(1648) 전쟁에 참가한 신성 로마 제국과 여러 국가들은 다음 사항에 합의한다. - 신성 로마 제국 내의 국가들에서 '통치자가 종교를 선택한다.'라는 원칙을 재확인한다. - 신성 로마 제국 내의 국가들은 자국의 안정을 위해 외국과 동맹을 맺을 수 있다. - 프랑스는 알자스를, 스웨덴은 서부 포메른을 차지한다. - (칼뱅파) 공식 인정 - 스위스, 네덜란드 독립 승인

2021학년도 대수능 세계사

13. (가) 인물에 대한 설명으로 옳은 것은?

파사우의 주교 볼프강에게

　나는 보헤미아와 헝가리의 국왕이자 신성 로마 제국 황제의 직무 대행을 맡은 페르디난트에게 깊은 유감을 표하지 않을 수 없소. 내가 보기에 그의 최근 행위는 유럽의 여러 군주와 선량한 자들의 간절한 염원을 거스르는 것이었소. 즉 페르디난트는 교황 레오 10세의 뜻을 거역한 비텐베르크의 (가) 을/를 추종하는 무리와 타협했던 것이오. 아우크스부르크 화의가 바로 그 증거요. 이로써 그들의 신앙이 인정되어 교회의 조화가 깨지고 말았소.

교황 파울루스 4세

① 교회의 면벌부 판매를 비판하였다.
② 예수회를 설립하여 해외 선교에 힘썼다.
③ 크리스트교 강요에서 예정설을 주장하였다.
④ 우신예찬에서 성직자의 타락상을 풍자하였다.
⑤ 클뤼니 수도원의 교회 개혁 운동을 주도하였다.

정답 13. ①

과목	역사1	소속	( )학교 ( )학년 이름( )
단원			Ⅲ. 지역 세계의 교류와 변화
주제			4. 신항로 개척과 유럽 지역 질서의 변화
핵심내용			- 신항로 개척의 배경, 결과

주제 1 신항로 개척

내용 정리

1. 신항로 개척

☆ 배경	· 동방에 대한 호기심 ex) 마르코 폴로 동방견문록, 지팡고 · 향신료·비단·차에 대한 수요 증가 · 지리학·천문학·조선술·항해술 발달, 나침반 사용으로 장거리 항해 가능 · 지중해 무역에서 소외된 이베리아 반도 국가의 진출 욕구 · 이베리아 반도 국가의 왕권 강화로 정치적 안정	☆ 결과	· 에스파냐의 아메리카 약탈 - 코르테스: 아스테카 제국 정복 - 피사로: 잉카 제국 정복 · 대서양 (삼각 무역) - 유럽, 남아메리카, 아프리카 무역 항로 - 아프리카 노예는 노동력 부족을 해결하기 위해 남아메리카로 이동 · (가격) 혁명: 남아메리카 대륙의 금·은이 대거 유럽으로 유입되면서 물가 상승을 초래 · (상업) 혁명: 전반적인 상업의 활성화로 근대 자본주의 발전에 기여
내용	· 포르투갈 - 바르톨로메우 디아스: 희망봉 - 바스쿠 다 가마: 희망봉→ 인도 · 에스파냐 - 콜롬버스: 서인도 제도 - 마젤란: 최초 세계 일주		

*플랜테이션: 백인의 자본과 원주민의 노동력이 결합된 형태의 농업을 말한다.

대서양 삼각 무역

【 18세기의 대서양 삼각무역 】

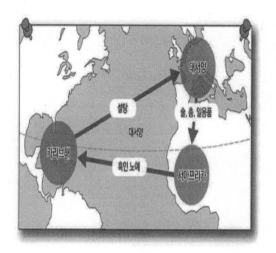

2016학년도 대수능 세계사

15. 도표에 나타난 무역에 대한 탐구 활동으로 적절하지 <u>않은</u> 것은?

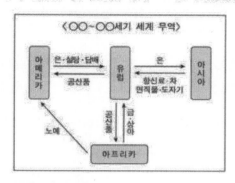

① 가격 혁명의 배경을 파악한다.
② 동인도 회사의 활동을 조사한다.
③ 신항로 개척의 영향을 분석한다.
④ 대서양 삼각 무역의 구조를 살펴본다.
⑤ 상(商)파뉴 정기 시장의 형성 배경을 알아본다.

2021학년도 대수능 세계사

5. 밑줄 친 '항해'를 후원한 나라에 대한 설명으로 옳은 것은?

① 아스테카 제국과 잉카 제국을 정복하였다.
② 벵골 지역을 동서로 나누는 분할령을 발표하였다.
③ 베트남을 차지하고 인도차이나 연방을 조직하였다.
④ 호르무즈, 믈라카, 마카오를 교역 거점으로 삼았다.
⑤ 리비아를 중심으로 북아프리카 식민지를 건설하였다.

정답 15. ⑤, 5. ④

내용 정리

선생님의 필기를 바탕으로 여러분이 정리해보세요:)

핵심 내용

나의 생각

MEMO

과목	역사1	소속	( )학교 ( )학년 이름( )
단원	Ⅲ. 지역 세계의 교류와 변화		
주제	4. 신항로 개척과 유럽 지역 질서의 변화		
핵심내용	- 동·서유럽 절대 왕정 비교 - 계몽사상		

주제 1 절대왕정

1. ☆ 절대왕정 기반

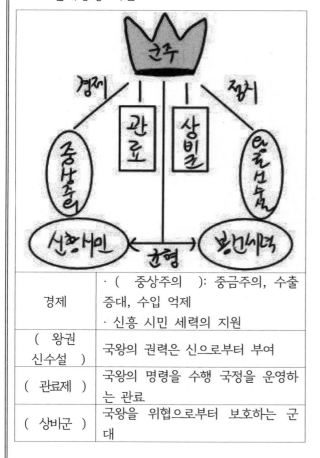

경제	· (중상주의): 중금주의, 수출 증대, 수입 억제 · 신흥 시민 세력의 지원
(왕권 신수설)	국왕의 권력은 신으로부터 부여
(관료제)	국왕의 명령을 수행 국정을 운영하는 관료
(상비군)	국왕을 위협으로부터 보호하는 군대

베르사유 궁전의 호화스러움
바로크 미술의 호화찬란함의 극치는 평범한 사냥터에서 현재 세계에서 가장 큰 궁전터가 된 베르사유 궁전에서 맛볼 수 있다. … 이 궁전은 안락함보다는 오히려 시각적인 충격을 제공하고 있는데, 거대한 대리석 바닥은 내부를 매우 냉랭하게 만들고, 욕조 속의 물은 얼어붙기 일쑤이고 수천 개의 촛대는 여름밤의 무도회를 견딜 수 없을 정도로 덥게 만들곤 했다.
- 클릭, 서양 미술사, 캐롤 스트릭랜드, p. 142~143 -

2. 서유럽의 절대왕정

에스파냐	펠리페 2세 - 레판토 해전에서 오스만 제국 격파 - 포르투갈 병합 - ☆ 쇠퇴: 무적함대 패배, 네덜란드 독립, 국내 산업 육성 미비
영국	· 헨리 8세: 수장령, 해군 육성 · 엘리자베스 1세: 에스파냐 무적함대 격파, 동인도 회사 건립
프랑스	· 앙리 4세 낭트칙령으로 종교 분쟁 수습 · 루이 14세: 태양왕 자처, 베르사유 궁전 건립, ☆ **낭트 칙령 폐지로 국내 산업 침체**, 무리한 전쟁 지속

3. 동유럽의 절대왕정

☆ 특징	· 농노제 유지 · 상공 시민층 미성장 · 서유럽보다 1세기 정도 늦음 · 계몽 전제 군주 자처
프로이센	프리드리히 2세 - 국가 제일의 공복 자처 - 오스트리아와 전쟁 - 종교적 관용
오스트리아	· 마리아 테레지아 · 요제프 2세: 개혁 실패
러시아	· 표트르 대제 - 서유럽화 정책 - 스웨덴과 북방전쟁 - 상트페테르부르크 건설 및 수도 천도 - 청나라와 네르친스크 조약 · 예카테리나 2세 - 폴란드 분할 참여

4. 17세기 문화

근대 과학	· 연구 방법론 　- 귀납법: **베이컨**(신기관) 　- 연역법: **데카르트**(방법서설) · 천문, 물리학 　- **코페르니쿠스**: 천체의 회전에 관하여, (지동설) 주장 　- 케플러: 지동설 수정 　- 갈릴레이: 지동설 입증 　- 뉴턴: 만유인력, 천체 및 물체의 운동 법칙을 수학적으로 증명해 **기계론적 우주관** 확립 · 의학, 화학 　- 베살리우스: 해부학 　- 하비: 혈액 순환론 　- 보일: 보일의 법칙
☆ 사회 계약설	· **홉스**: 만인에 대한 만인의 (투쟁), 평화와 안전을 위해 정치적 권리를 지배자에게 양도 정치 권력이 없는 자연 상태에서 인간은 외롭고, 가난하며 동물적인 존재에 불과하고, 서로 상대방과 싸우는 전쟁 상태에 있다. 　　　 - 홉스, 리바이어던 - · **로크**: (저항권) 정부의 정당한 권력은 인민의 동의로부터 나온다. 만약 정부가 이러한 목적을 지키지 않을 경우 새로운 정부를 수립하는 것이 인민의 권리이다. - 로크, 통치론 - · **루소**: (일반의지), 인민 주권 계약을 통해 구성된 국가의 주권은 전체로서의 인민에 있으며, 주권은 공공의 복리를 지향하는 초개인적 의사인 일반 의지의 작용이다. 　　　 - 루소, 사회 계약론 -
계몽사상	· 이성 중시 · 불합리한 제도와 관습 타파 · 인물 　- 볼테르 　- 몽테스키외: 법의정신, 삼권분립 　- 루소: 일반의지, 인민주권 　- 디드로, 달랑베르: 백과전서 편찬 · 의의: **미국 혁명, 프랑스 혁명**에 영향

건축	· 17세기: **바로크 양식**(화려, 공간감) 　　　 ex) 베르사유 궁전 · 18세기: **로코코 양식**(우아, 섬세) 　　　 ex) 상수시 궁전

2018학년도 대수능 세계사

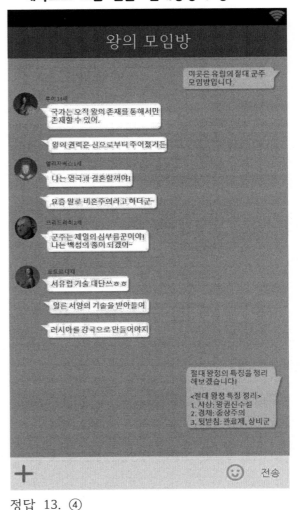

13. 다음 글에 대한 설명으로 옳은 것은? [3점]

> 케플러 선생님에게
>
> 저는 『천체의 회전에 관하여』를 발표한 천문학자의 견해가 옳다고 생각합니다. 또한 그의 주장에 반대하는 자들을 논박하는 많은 글을 썼지만, 아직까지는 세상에 내놓지 못하고 있습니다. …(중략)… 확실히 당신 같은 사람들이 더 많아진다면 제 의견을 즉시 출간하겠지만, 그렇지 않으면 삼갈 것입니다.
>
> 갈릴레오 갈릴레이 드림

① 백과전서파의 영향을 받았다.
② 스콜라 철학의 성립에 기여하였다.
③ 루터의 종교 개혁에 영향을 주었다.
④ 코페르니쿠스의 지동설을 지지하였다.
⑤ 프린키피아(자연 철학의 수학적 원리)의 출간 이후에 쓰였다.

* 깨톡으로 보는 인물: 절대왕정의 왕

정답 13. ④

| SUBJECT | TITLE. | CHECK. ●●○○○ |
| 과학, 사상을 중점으로 | 17~18c 모습과 21c 모습 비교 | DATE. 2022. . |

MEMO		17~18c	21c
여러분이 21c를 작성해보세요!	과학	· 과학 혁명(17c) - 갈릴레이: 코페르니쿠스 지동설 지지 - 뉴턴: 만유인력의 법칙 발견, 우주와 자연의 합리적이고 일정한 질서	
	사상	· 계몽사상(18c) - 루소: 일반 의지 - 볼테르: 신앙과 언론 및 출판의 자유 - 몽테스키외: 삼권분립	
	기타	· 바로크(17c): 우연, 자유분방, 기괴함 · 로코코(17~18c): 우아함, 경쾌함	

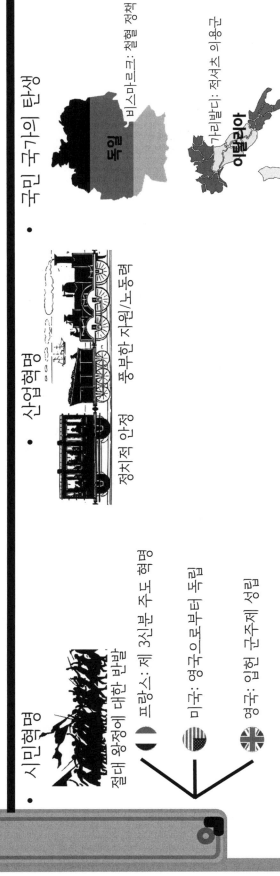

근대 사회의 변화2

- 시민혁명

절대 왕정에 대한 반발

프랑스: 제 3신분 주도 혁명

미국: 영국으로부터 독립

영국: 입헌 군주제 성립

- 산업혁명

정치적 안정   풍부한 자원/노동력

- 국민 국가의 탄생

독일   비스마르크: 철혈 정책

이탈리아   가리발디: 적셔츠 의용군

현동쌤의 현명하고 똑똑인 역사

근대 사회 발전 과정에서 갈등1

억압		자유
영국 전제정치	↕	영국 혁명
영국 중상주의	↕	미국 혁명
구제도 모순	↕	프랑스 혁명
빈체제	↕	7, 2월 혁명

영국 혁명

메리와 윌리엄

청교도 혁명

• 배경
  - 젠트리, 시민 성장
  - 제임스 1세와 찰스 1세의 전제 정치

• 전개
  - 의회의 권리 청원 제출 → 찰스 1세의 승인 후 의회 해산
  → 찰스 1세의 의회 소집(why) 과세 → 왕당파와 의회파의 대립

• 결과
  - 크롬웰의 의회파 승리
  - 찰스 1세 처형, 공화정 수립

명예 혁명

• 배경: 찰스 2세와 제임스 2세의 전제 정치

• 전개
  - 의회의 제임스 2세 폐위
  → 메리와 남편 윌리엄을 공동 왕으로 추대
  → 의회의 권리 장전 승인

• 결과
  - 의회 중심의 입헌 군주제 확립
  - 18세기 내각 책임제로 발전

• 의회의 동의 없이 법률 집행을 정지하는 것은 위법이다.
• 의회의 승인 없이 세금을 징수하는 것은 위법이다.
• 의회의 동의 없이 평화 시에 상비군을 징집하는 것은 위법이다.

내용 정리

선생님의 필기를 바탕으로 여러분이 정리해보세요:)

핵심 내용

- [ ] _____
- [ ] _____
- [ ] _____

나의 생각

MEMO

과목	역사1	소속	( )학교 ( )학년 이름( )
단원	Ⅳ. 제국주의 침략과 국민 국가 건설 운동		
주제	1. 유럽과 아메리카의 국민 국가 체제		
핵심내용	- 권리 청원 - 권리 장전		

주제 1 영국 혁명

내용 정리

선생님의 필기를 바탕으로 여러분이 정리해보세요:)

1. 청교도 혁명

배경	· 젠트리, 시민의 성장 · 제임스 1세, 찰스 1세 전제 정치
전개	의회의 (권리 청원) 제출 · 의회의 동의 없이 세금을 징수할 수 없다. · 법률에 의하지 않고는 체포구금할 수 없다. · 군대가 민가에 함부로 들어가서는 안 된다. → 찰스 1세의 승인 후 의회 해산 → 찰스 1세의 의회 소집 why) 과세 → (왕당파)와 (의회파)의 대립
결과	· 크롬웰의 의회파 승리 · 찰스 1세 처형, (공화정) 수립

크롬웰의 공화정
· 금욕적인 독재 정치
· (항해법) 제정 → 국민의 불만 고조
· 아일랜드 점령

2. 명예 혁명

배경	찰스 2세, 제임스 2세의 전제 정치 의회의 제임스 2세 폐위 → 메리와 남편 윌리엄을 공동 왕으로 추대 → 의회의 (권리 장전) 승인
전개	· 의회의 동의 없이 법률 집행을 정지하는 것은 위법이다. · 의회의 승인 없이 세금을 징수하는 것은 위법이다. · 의회의 동의 없이 평화 시에 상비군을 징집하는 것은 위법이다.
결과	· 의회 중심의 (입헌 군주제) 확립 · 18세기 내각 책임제로 발전

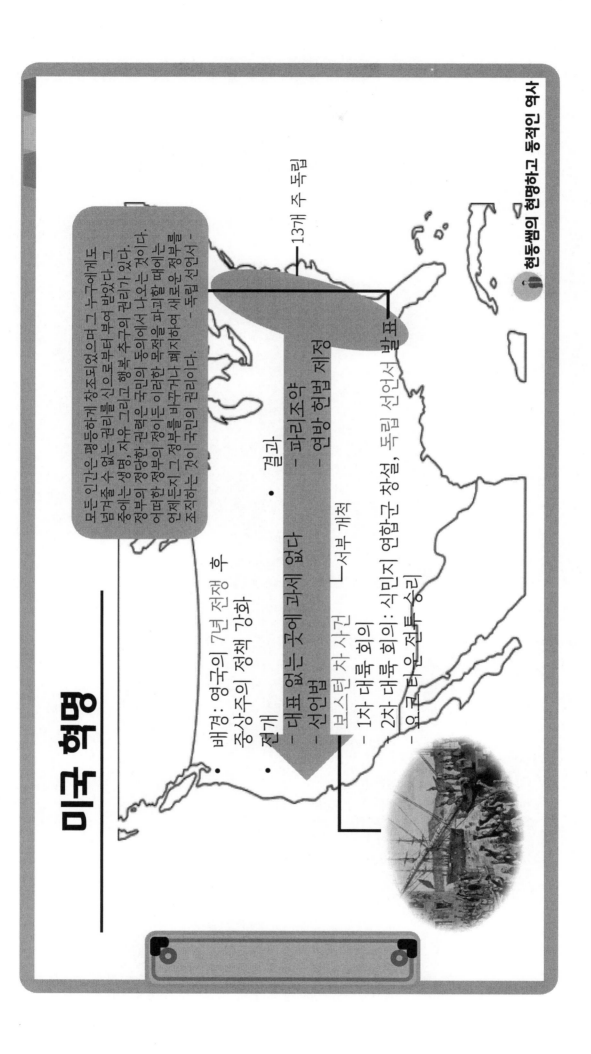

미국 혁명

- 배경: 영국의 7년 전쟁 후 중상주의 정책 강화
- 전개
  - 대표 없는 곳에 과세 없다
  - 선언법
  - 보스턴 차 사건
  - 1차 대륙 회의
  - 2차 대륙 회의: 식민지 연합군 창설, 독립 선언서 발표
  - 요크타운 전투 승리
  - 서부 개척
- 결과
  - 파리조약
  - 연방 헌법 제정
- 13개 주 독립

모든 인간은 평등하게 창조되었으며 그 누구에게도 넘겨줄 수 없는 권리를 신으로부터 부여 받았다. 그 중에는 생명, 자유 그리고 행복 추구의 권리가 있다. 정부의 정당한 권력은 국민의 동의에서 나오는 것이다. 어떠한 정부의 정이든 이러한 목적을 파괴할 때에는 언제든지 그 정부를 바꾸거나 폐지하여 새로운 정부를 조직하는 것이 국민의 권리이다. - 독립 선언서

내용 정리

선생님의 필기를 바탕으로 여러분이 정리해보세요:)

핵심 내용

- ☑ _____
- ☑ _____
- ☑ _____

나의 생각

MEMO

과목	역사1	소속	( )학교 ( )학년 이름( )
단원	Ⅳ. 제국주의 침략과 국민 국가 건설 운동		
주제	1. 유럽과 아메리카의 국민 국가 체제		
핵심내용	- 미국 혁명		

주제	1	미국 혁명

내용 정리

선생님의 필기를 바탕으로 여러분이 정리해보세요:)

1. 미국 혁명

배경	영국의 (7년 전쟁) 후 재정 고갈로 (중상주의) 정책 강화: 차세, 설탕세, 인지세 부과
전개	· '대표 없는 곳에 과세 없다' 저항 · 선언법 · (보스턴 차 사건) · 영국의 탄압 · 1차 대륙 회의 개최 – 영국 의회 부정 – 영국과 무역 중단 · 렉싱턴 충돌 · 토머스 페인 '(상식)' 발표 · 2차 대륙 회의 개최 – 식민지 연합군 창설 – (독립 선언서) 발표: 평등과 자유, 행복 추구권, 저항권 내용 포함

	모든 인간은 평등하게 태어났으며, 생명과 자유 및 행복을 추구할 권리를 포함하여 누구도 침범할 수 없는 권리를 신으로부터 부여받았다. 정부의 정당한 권력은 통치를 받는 사람들의 동의에서 생겨났다. <u>어떤 형태의 정부이든 이러한 목적을 파괴하는 경우에는 언제든지 그 정부를 바꾸거나 없애고~</u>
	· 사라토가 전투, 프랑스, 에스파냐의 지원 · 요크타운 전투에서 승리
결과	· 파리조약: 미시시피강 동쪽 13개 주 독립 승인 · 연방 헌법 제정: 연방주의, 삼권분립, 공화주의 <아메리카 합중국 헌법> · 이 헌법에 따라 부여되는 모든 입법권은 미국 연방 의회에 속하며, 연방 의회는 상원과 하원으로 구성한다. · 행정권은 미국 대통령에 속한다. · 미국의 사법권은 1개의 연방 대법원과 연방 의회가 수시로 만들어 설치하는 하급 법원에 속한다.

| 의의 | · 세계 (최초) 민주 공화국 수립
· 자유와 평등의 이념을 실현한 시민 혁명
· (프랑스 혁명)과 (라틴 아메리카)
독립에 영향을 줌 |

2. 혁명 후 발전

· (서부)진출: 영토 확대 및 자원 확보
· 이민 열풍: 유럽인의 이동으로 인구 증가
· 산업 발달: 운하·철도 부설, 대기업의 성장
· 남북 문제 등장: 노예 문제를 두고 갈등

프랑스 혁명

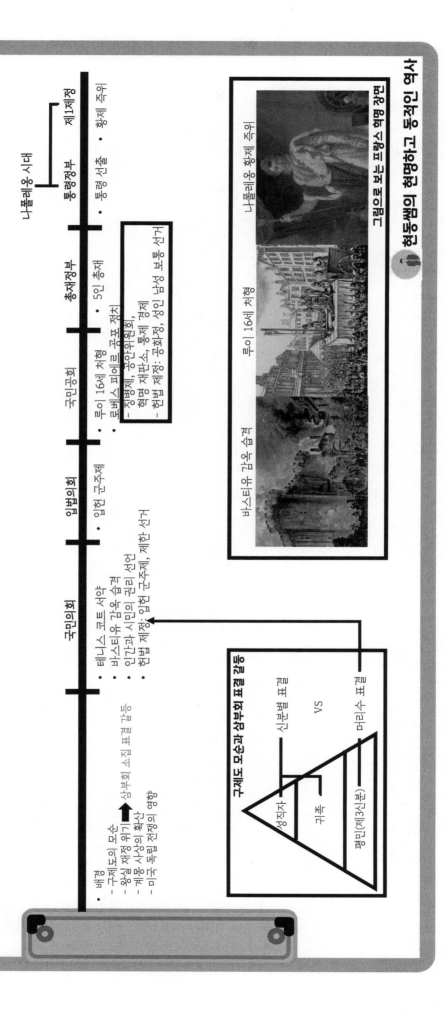

프랑스 혁명으로 보는 정치 변화 과정

바스티유 감옥 습격 · 루이 16세 처형 · 나폴레옹 황제 즉위

타임라인

국민의회
- 테니스 코트 서약
- 바스티유 감옥 습격
- 인간과 시민의 권리 선언
- 헌법 제정: 입헌 군주제, 제한 선거

입법의회
- 입헌 군주제

국민공회
- 루이 16세 처형
- 로베스피에르 공포 정치

  - 징병제, 공안위원회, 혁명 재판소, 통제 경제
  - 헌법 제정: 공화정, 성인 남성 보통 선거

총재정부
- 5인 총재

통령정부 (나폴레옹 시대)
- 통령 선출

제1제정
- 황제 즉위

배경
- 구제도의 모순
- 왕실 재정 위기
- 계몽 사상의 확산
- 미국 독립 전쟁의 영향

→ 삼부회 소집 표결 갈등

구제도 모순과 삼부의 표결 갈등

성직자 / 귀족 / 평민(제3신분)

신분별 표결 VS 머리수 표결

현동쌤의 현명하고 동적인 역사!

내용 정리

선생님의 필기를 바탕으로 여러분이 정리해보세요:)

핵심 내용

나의 생각

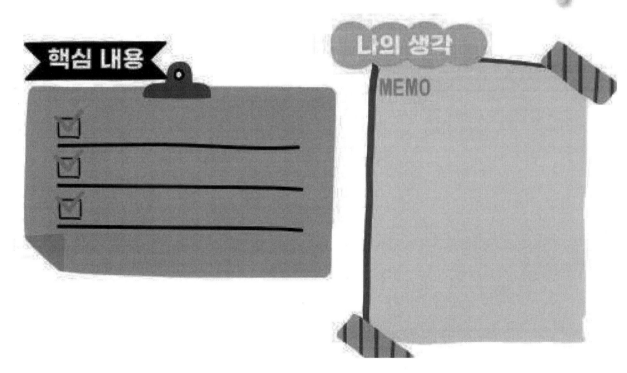

MEMO

과목	역사1	소속	( )학교 ( )학년 이름( )
단원	Ⅳ. 제국주의 침략과 국민 국가 건설 운동		
주제	1. 유럽과 아메리카의 국민 국가 체제		
핵심내용	- 프랑스 혁명 - 나폴레옹 시대		

주제 1 프랑스 혁명

1. 프랑스 혁명의 배경

- (구제도)의 모순(앙시엥 레짐)
- 왕실의 재정 위기
- (계몽 사상)의 확산

> 볼테르, 몽테스키외, 루소를 비롯한 계몽 사상가들은 이성을 통해 자연의 법칙을 발견할 수 있으며, 그 법칙을 적용함으로써 인류 사회는 무한히 진보할 것이라고 믿었다. 그리고 이성적이며 합리적이지 않은 전통이나 제도는 사회의 진보를 위해 개혁되어야 한다고 주장하였다.

- 미국 독립 전쟁의 영향

2. 프랑스 혁명의 전개

발단	국가 재정 파탄→ 국왕의 삼부회 소집→ (삼부회) 표결 방식을 둘러싼 갈등→ (테니스 코트) 서약
	귀족들이 국민 의회를 거부하자 제3신분 대표들은 왕궁 실내 테니스 코트에 모여 새로운 헌법이 마련될 때까지 해산하지 않을 것을 서약하였다.
국민 의회	· (바스티유 감옥) 습격→ 혁명의 전국적 확산 · 개혁 - 봉건제 폐지 선언 - 인간과 시민의 권리 선언 · 제 1조: 인간은 자유롭고 평등한 권리를 지니고 태어났으며, 공공의 목적이 아니라면 사회적 차별을 둘 수 없다. · 제 2조: 모든 정치적 결사의 목적은 침해할 수 없는 인간의 자연권을 보전하는데 있다. 그 권리는 자유, 재산, 안전 그리고 압제에 대한 저항이다. · 제 3조: 모든 주권의 원천은 국민에게 있다. 어떤 단체와 개인도 국민으로부터 유래하지 않은 권리를 행사할 수 없다. - 교회 재산 몰수, 길드 폐지 - 헌법 제정: 입헌 군주제, (제한) 선거
입법 의회	· 입헌 군주제 · 혁명 전쟁: 오스트리아와 프로이센의 간섭에 프랑스가 선전 포고
국민 공회	· 루이 16세 처형, 공화정 수립 · 대프랑스 동맹의 침입 · 공포 정치 시행 - 징병제 실시 - (공안 위원회) 운영 - (혁명 재판소) 설치 - 귀족의 토지 몰수 후 하층민에게 분배 - 통제 경제 정책 추진 - 헌법 제정: 공화정, 성인 남성 (보통) 선거 · 온건파의 쿠데타(테르미도르의 반동)→ 로베스 피에르 처형으로 종결
총재 정부	· 5인의 총재가 행정, 외교를 담당 · 나폴레옹 쿠데타로 붕괴

3. 프랑스 혁명의 의의: 전형적인 시민 혁명으로 시민 계급이 중심이 되어 (절대 왕정) 타도

4. 나폴레옹 시대

통령 정부	· 총재 정부 붕괴 후 나폴레옹이 행정, 군사권 장악 · 정책 - (나폴레옹 법전) 편찬 - 국민 교육 제도 시행 - 프랑스 은행 설립
제 1 제정	· 나폴레옹의 황제 즉위 · 프랑스의 세력 확대 · (대륙 봉쇄령): 영국 경제 타격 시도 · (러시아) 원정: 대륙 봉쇄령을 어긴 러시아 응징을 시도→ 실패 · 엘바섬 유배→ 탈출 · 워털루 전투 패배→ 세인트헬레나 섬에 유배
영향	· 프랑스 혁명의 이념을 전 유럽에 전파 · 자유주의와 민족주의 확산에 기여

2017학년도 대수능 세계사

11. (가) 인물에 대한 설명으로 옳지 않은 것은?

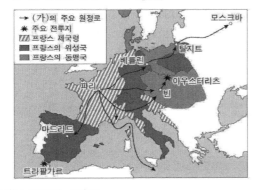

① 대륙 봉쇄령을 내렸다.
② 총재 정부를 수립하였다.
③ 워털루에서 전투를 벌였다.
④ 이집트 원정을 단행하였다.
⑤ 노트르담 대성당에서 황제로 즉위하였다.

정답 11. ②

근대 사회 발전 과정에서 갈등 2

자유

억압

영국 자유주의

미국의 개척

이탈리아, 독일 통일

러시아 예카테리나 여왕

빈체제

에스파냐, 포르투갈
식민 지배

내용 정리

선생님의 필기를 바탕으로 여러분이 정리해보세요:)

핵심 내용

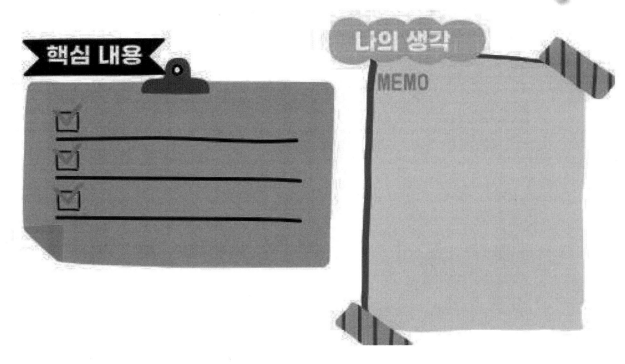

나의 생각

MEMO

과목	**역사1**	소속	( )학교 ( )학년 이름( )
단원	Ⅳ. 제국주의 침략과 국민 국가 건설 운동		
주제	1. 유럽과 아메리카의 국민 국가 체제		
핵심내용	- 7월 혁명 - 2월 혁명		

주제 1 자유주의 운동

내용 정리

선생님의 필기를 바탕으로 여러분이 정리해보세요:)

1. 빈 체제의 형성

형성	나폴레옹 몰락 이후 (메테르니히) 주도로 조직 빈 회의의 가장 큰 특징은 회의가 제대로 열리지 않는 것이라고 조종을 받았다. 모든 대표단이 함께 만나 회의가 진행된 적이 없었고, 중요한 사항은 이면에서 음모와 비밀 회의를 통해 결정되었다. 공식적인 회의가 아니라 화려한 연회, 무도회, 음악회 등 사교 모임이 주가 되었다.
목표	각국의 영토 및 지배체제를 (프랑스 혁명) 이전으로 복귀
전개	· 프랑스의 왕정 복고 · 신성 동맹, 4국 동맹 결성

2. 프랑스의 자유주의 운동

7월 혁명 (1830)	· 배경: 왕정복고→ 샤를 10세 즉위 억압 정치(의회 해산, 언론 탄압, 선거권 제한) · 전개: 시민 봉기→ 샤를 10세 추방→ 루이 필리프 추대 · 영향 - (벨기에)가 네덜란드로부터 독립 - 폴란드, 독일, 이탈리아 등에서 자유주의 운동 전개

민중을 이끄는 자유의 여신(7월 혁명)

2월 혁명 (1848)	· 배경: (노동자)의 성장, (사회주의) 확산에 따른 선거권 확대 요구 · 전개: 루이 필리프의 탄압→ 파리 시민의 봉기→ 왕정 폐지 및 공화정 수립 · 영향 - 오스트리아: 메테르니히 추방 - 독일, 이탈리아: 통일 국가 수립 운동 확산

3. 영국의 자유주의 운동

종교적 차별 폐지	· 국교도가 아닌 사람에게도 시민의 권리와 자유를 줌 · 가톨릭교도에 대한 차별 폐지
선거법 개정 과정	① 산업 혁명 후 도시로 인구 집중 ② 부패 선거구 발생 ③ 제 1차 선거법 개정 ④ 노동자들의 선거 혜택을 받지 못함 ⑤ (차티스트 운동) 전개: 인민헌장 발표 **인민헌장** 1. 21세 이상 모든 남자의 선거권을 인정하라. 2. 하원 의원의 자격을 재산으로 제한하지 마라. 3. 하원 의원의 임기는 1년으로 하라. 4. 인구 비례에 의한 평등한 선거 구제를 실시하라. 5. 의원에게 연봉을 지급하라. 6. 비밀 투표제를 실시하라.

자유주의 경제 정책	· 곡물법 폐지(1846) · 항해법 폐지(1849)

4. 러시아의 개혁

- 데카브리스트의 난: 청년 장교들의 자유주의에 영향을 받아 전제 정치 타도, 농노제 폐지 요구
 - 니콜라이 1세: 봉기 진압, 전제 정치 강화, 남하정책 추진
 - 알렉산드르 2세: 농노 해방령 발표→ 효과 미비, 암살
 - 브나로드 운동: 농민 계몽 운동

2017학년도 대수능 세계사

16. (가) 체제에 대한 설명으로 옳은 것은?

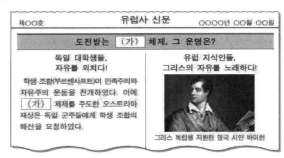

① 삼국 협상과 대립하였다.
② 전체주의 이념에 바탕을 두었다.
③ 신성 동맹으로 결속이 강화되었다.
④ 이탈리아 통일 전쟁을 지원하였다.
⑤ 프로이센·프랑스 전쟁으로 붕괴되었다.

정답 16. ③

내용 정리

선생님의 필기를 바탕으로 여러분이 정리해보세요:)

핵심 내용

☑ _____
☑ _____
☑ _____

나의 생각

MEMO

과목	역사1	소속	( )학교 ( )학년 이름( )
단원	Ⅳ. 제국주의 침략과 국민 국가 건설 운동		
주제	1. 유럽과 아메리카의 국민 국가 체제		
핵심내용	- 이탈리아의 통일 - 독일의 통일		

주제 1 통일 국가 수립

내용 정리

선생님의 필기를 바탕으로 여러분이 정리해보세요:)

1. 이탈리아의 통일

배경	· (나폴레옹 전쟁)과 (2월) 혁명의 영향으로 이탈리아 민족주의 자극 · (마치니)의 통일의 필요성 역설 – 청년 이탈리아당 조직후 통일 운동시도→ 실패 이탈리아 반도에 모여 산다고 해서 이탈리아 민족이 성립되는 것은 아니다. 우리는 반드시 하나의 나라로, 그것도 그냥 나라가 아니라 민족 성원 모두가 투표권과 교육과 일자리를 보장받는 공화국으로 통일되어야 한다. – 마치니 –	완성	베네치아 병합, 교황령 통합→ 통일의 완성(1870) 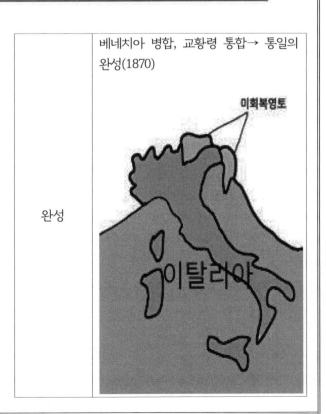
전개	· (카보우르): 중상주의 정책, 이탈리아 북부 통일 · (가리발디): 나폴리와 시칠리아 왕국 점령→ 샤르데냐 왕국에 헌납		

2. 독일의 통일

통일 전	수십 개 소국의 느슨한 연합체

전개	· (관세 동맹): 프로이센 주도 경제적 통합
	· 프랑크푸르트 국민 회의: 자유주의적 통일 운동 시도
	  - 대독일 vs 소독일(오스트리아 배제)
	    → 실패
	· (비스마르크)의 철혈정책
	
	독일은 프로이센의 자유주의가 아니라 그 군비에 주목해야 한다. 언론이나 다수결에 의해서는 지금의 큰 문제가 해결될 수 없다. 철과 피에 의해서만 독일의 통일이 해결될 수 있다.
	
	· (오스트리아)와의 전쟁에서 승리
	· 프로이센 중심 북부 독일 연방 결성
	· (프랑스)와 전쟁에서 승리

완성	프로이센 왕 빌헬름 1세가 독일 제국 황제로 즉위(1871)

3. 19세기의 문화

과학	· 라듐 발견: 퀴리 부부 · X선 발견: 뢴트겐 · 진화론: 다윈의 종의 기원 · 유전 법칙: 멘델 · 유선전화: 벨 · 전구: 에디슨 · (무선 전신): 마르코니
예술	· (낭만주의): 인간의 감정과 상상력 중시 · 사실주의: 있는 그대로의 현실을 강조 · 자연주의 · (인상파): 화가의 주관적 인상 표현

* 깨톡으로 보는 인물: 비스마르크, 빌헬름 1세

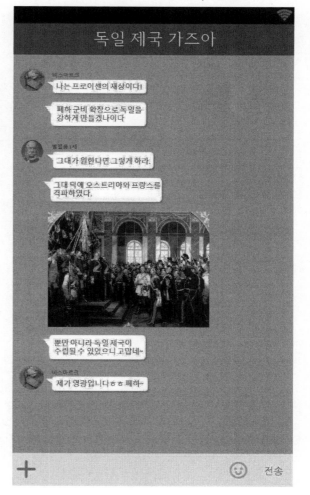

2020학년도 대수능 세계사

16. (가), (나) 시기 사이에 볼 수 있는 모습으로 적절한 것은? [3점]

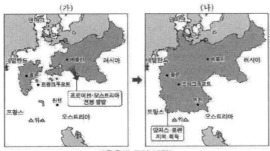

〈○○의 통일 과정〉

① 크림 전쟁에 참전하는 러시아 병사
② 노예 해방령에 서명하는 미국 대통령
③ 곡물법 폐지 요구 집회에 참가하는 런던 노동자
④ 루이 나폴레옹의 대통령 취임식에 참석하는 성직자
⑤ 이탈리아 왕국 법원에서 근무하는 사르데냐 출신 관리

정답 16. ⑤

내용 정리

선생님의 필기를 바탕으로 여러분이 정리해보세요:)

핵심 내용

나의 생각

MEMO

과목	**역사1**	소속	( )학교 ( )학년 이름( )
단원	**Ⅳ. 제국주의 침략과 국민 국가 건설 운동**		
주제	1. 유럽과 아메리카의 국민 국가 체제		
핵심내용	- 남북 전쟁		

주제 1 남북 전쟁

내용 정리

선생님의 필기를 바탕으로 여러분이 정리해보세요:)

1. 남북 전쟁

배경	· 남북 문제 - 북부: 자유 노동력을 이용한 공업 지대 - 남부: (노예) 노동력을 이용한 (농업) 지대 · 노예제 확대에 반대하는 (링컨)의 대통령 당선
전개	남부 7개 주의 연방 탈퇴→ 남부 연합의 섬터 요새 공격→ 북부의 승세 → 링컨의 노예 해방 선언→ **링컨의 노예 해방 선언** 반란 주로 지정된 주와 주의 일부 지역에서 노예로 있는 사람은 이제부터 자유의 몸이 될 것임을 선포한다. 그리고 육군과 해군 당국을 포함하여 미국의 행정부는 앞서 언급한 자들의 자유를 인정하고 유지할 것이다. 국제여론지지, 노예들의 북부 참여

결과	게티즈버그 전투 승리에 따라 북부 승리로 종결

북부와 남부 비교

	북부	남부
중심 세력	상공업자	지주
산업 기반	상공업	농업
무역 정책	보호 무역	자유 무역
정치 체제	연방주의	분권주의
노예 제도	반대	찬성

이후 발전	· 경제: (대륙 횡단 철도) 개통, 중공업 발전 미국의 영토가 서부 개척으로 넓어진 만큼 교통 수단의 개설이 절실해졌고 대륙 횡단 철도가 개통됨으로 인해서, 미국의 동부와 서부가 연결될 수 있었

현동쌤의 현명하고 동적인 역사!

다. 특히, 대륙 횡단 철도는 미국의 넓은 영토에 매장되어 있거나 분포되어 있는 각종 자원을 이용할 수 있는 수단이 되어 미국이 세계 최대의 공업국으로 성장하는데 기반이 되었다.
· 대외: 라틴 아메리카에 영향력 확대, 필리핀·괌으로 진출

흑인 노예 프레드릭 더글라스가 주인에게 보내는 편지
만일 깜깜한 밤에 파렴치한 인간들과 함께 당신 집에 침입해서 당신의 사랑하는 딸을 유괴해 당신들로부터 빼앗아 간다면 어떻겠습니까? 그녀를 노예로 만들어 강제로 일 시키고, 그녀를 내 재산으로 만든다면 어떻겠습니까? 그녀의 인권과 읽고 쓰는 법을 배울 권리를 빼앗고, 그녀의 영혼의 힘도 꺾어 놓는다면, 헐벗고 굶주리게 만든다면, 때로는 채찍으로 벗은 등작을 후려치고, 그녀를 악마 같은 감독자들의 야비한 욕망의 희생물이 되게 만든다면 당신은 어떻게 하겠습니까? … 쇠사슬, 재갈, 피투성이 채찍, 족쇄 채워진 노예의 마음에 드리운 죽음과도 같은 적막감을 나는 똑똑히 기억합니다. 처자식과 생이별하고 시장에서 짐승처럼 팔려 가야 했던 무섭도록 끔찍한 일을 잊지 않고 있습니다. … 나도 당신과 똑같은 인간입니다.
- 처음 읽는 미국사, 전국역사교사모임, p.184 -

현동쌤의 현명하고 동적인 역사!

내용 정리

선생님의 필기를 바탕으로 여러분이 정리해보세요:)

핵심 내용

나의 생각

MEMO

과목	**역사1**	소속	( )학교 ( )학년 이름( )
단원	Ⅳ. 제국주의 침략과 국민 국가 건설 운동		
주제	1. 유럽과 아메리카의 국민 국가 체제		
핵심내용	- 러시아의 농노 해방 - 라틴 아메리카의 독립		

주제 1   러시아의 농노해방과 라틴아메리카의 독립

내용 정리

선생님의 필기를 바탕으로 여러분이 정리해보세요:)

1. 러시아의 농노 해방

배경	· 차르 전제 정치 유지에 따른 낙후 · 데카브리스트의 난: 차르 정부 타도, 농노제 폐지 주장 · 오스만 제국과 (크림 전쟁)에서 패배
내용	· 알렉산드르 2세의 개혁 - (농노 해방령)(1861) 새로운 법령에 따라 농노는 적절한 시기에 자유로운 농민으로서 모든 권리를 갖는다. 농노는 지주에게 토지를 되사는 것으로써 지주에 대한 의무에서 벗어나 진정한 자유로운 농민의 신분이 된다. - 징병제 - 지방 의회 창설 · 브나로드 운동의 전개: 지식인층의 농촌 계몽을 통한 사회 개혁 추진
결과	알렉산드르 암살로 오히려 전제 정치 강화, 자유주의 운동 탄압

2. 라틴아메리카의 독립

배경	· 미국 혁명과 프랑스 혁명, 계몽사상의 영향 · 에스파냐, 포르투갈의 국력 쇠퇴 · 미국의 (먼로선언) 유럽은 아메리카에서 일어난 일에 대해 간섭하지도 식민지로 삼지도 말며, 미국도 유럽에서 일어나는 일에 간섭하지 않을 것이다. · 영국의 지지: 상품시장 확보 목적
전개	· 아이티: 흑인 노예들이 프랑스군에 맞서 싸움→ (아이티 공화국) 수립: 세계 최초 노예출신의 흑인들이 혁명을 일으켜 세운 나라 · 멕시코: 크리오요의 독립 운동(이달고 신부)→ 에스파냐로부터 독립 · 브라질: 포르투갈로부터 독립 · 남아메리카 북부: ☆ (시몬 볼리바르) 주도, 베네수엘라·콜롬비아·에콰도르 해방 라틴 아메리카 전체를 공통의 결속을 지닌 하나의 나라로 변모시키는

	것은 웅장한 구상이지만 비현실적이다. 그러나 공통적인 언어, 유사한 관습, 하나의 종교를 지녔기 때문에 언젠가는 여러 나라의 연합을 통해 단일한 정부가 출현하는 것을 지켜볼 수 있을 것이다. - 볼리바르, 자메이카 편지 - · 남아메리카 남부: 산 마르틴 주도, 아르헨티나·칠레 독립
이후 상황	· 정치: (카우디요)의 정치 개입으로 혼란 · 사회: 크리오요와 인디언, 흑인 사이의 갈등 · 경제: 국내 산업 기반 취약 · 대외 관계 - 미국: 에스파냐와 전쟁 이후 쿠바 보호국, 푸에르토리코 획득 - 영국: 자본을 빌려주고 철도와 광산을 차지

* 라틴 아메리카의 독립이 늦어진 이유

① 열강의 간섭 ② 다양한 인종 ③ 정치적 혼란 ④ 단일 상품 생산

* 깨톡으로 보는 인물: 시몬 볼리바르

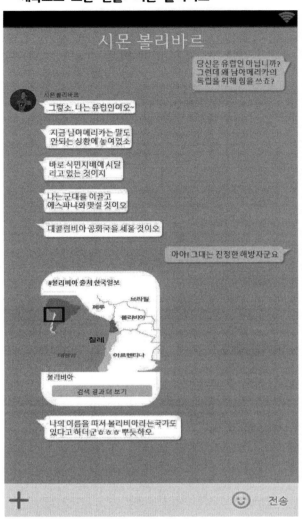

2017학년도 대수능 세계사

5. 다음 대화의 주제로 가장 적절한 것은?

크리오요의 활약은 정말로 대단했어.
특히 볼리바르의 역할이 두드러졌지.
먼로 선언의 영향도 고려할 필요가 있어.

① 인도의 반영 운동
② 아프리카의 민족 운동
③ 오스만 제국의 근대화 운동
④ 라틴 아메리카의 독립 운동
⑤ 아랍의 와하비 (와하브) 운동

2020학년도 대수능 세계사

13. (가) 인물에 대한 설명으로 옳은 것은? [3점]

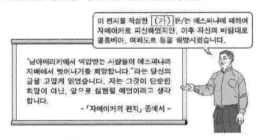

이 편지를 작성한 (가) 은/는 에스파냐에 패하여 자메이카로 피신하였지만, 이후 자신의 바람대로 콜롬비아, 에콰도르 등을 해방시켰습니다.

"남아메리카에서 억압받는 사람들이 에스파냐의 지배에서 벗어나기를 희망합니다." 라는 당신의 글을 고맙게 읽었습니다. 저는 그것이 단순한 희망이 아닌, 앞으로 실현될 예언이라고 생각합니다.
- 「자메이카의 편지」 중에서 -

① 크리오요 출신이다.
② 쿠바의 독립을 달성하였다.
③ 아이티 공화국을 수립하였다.
④ 아도와 전투를 승리로 이끌었다.
⑤ 아르헨티나 독립 운동을 주도하였다.

정답 5. ④, 13. ①

🔒 현동쌤의 현명하고 동적인 역사!

내용 정리

선생님의 필기를 바탕으로 여러분이 정리해보세요:)

핵심 내용

나의 생각

MEMO

과목	역사1	소속	( )학교 ( )학년 이름( )
단원	Ⅳ. 제국주의 침략과 국민 국가 건설 운동		
주제	2. 유럽의 산업화와 제국주의		
핵심내용	- 산업 혁명이 영국에서 시작된 이유 - 산업 혁명의 영향		

주제 1 산업 혁명

내용 정리

선생님의 필기를 바탕으로 여러분이 정리해보세요:)

1. 산업 혁명이 영국에서 시작된 배경

① 명예 혁명 이후 (정치)적 안정
② (인클로저) 운동

그렇게 온순하고 조금씩만 먹던 양들이 요즘에는 지나치게 많이 먹고 또 사나워져서, 과장하면 인간들까지 다 먹어 치우고 있습니다. …… 귀족과 신사, 성직자인 수도원장까지도 백성들의 경작지를 빼앗아 울타리로 둘러싸 버렸기 때문입니다.   - 토마스 모어, 유토피아 -

③ 자원 확보
④ 풍부한 (자본)
⑤ 교통 발달
⑥ 식민지 쟁탈전에서 승리

2. 산업 혁명의 전개 및 확산

전개	면직물 공업→ 증기 기관 개량→ 기계, 제철, 석탄 산업→ 교통, 통신

확산	· 18세기 후반: 영국이 가장 먼저 자본주의 체제 확립 · 19세기 전반: 벨기에, 프랑스 · 19세기 중반: 미국, 독일 · 19세기 말: 러시아, 일본

3. 산업 혁명의 영향

· 생산 방식의 변화: 농업→ 공업, 수공업→ 공장제 기계 공업
· 도시화: 도시로의 인구 집중
· (자유 방임주의): 애덤 스미스의 보이지 않는 손

애덤 스미스는 각 개인이 자기의 이익을 추구하도록 내버려 두면 보이지 않는 손이 작용하여 결과적으로는 사회 전체의 복리를 증진시키게 되며, 따라서 자유방임이 국가의 간섭이나 통제보다 더 많은 경제 발전을 이룩할 수 있다고 하였다.

· 노동 문제: 과도한 노동 시간, 저임금 노동
· 실업 문제: (러다이트) 운동, 노동 조합 결성
· 환경 오염: 공장 폐수 배출 및 위생 악화
· (사회주의) 사상의 등장: 자본주의 체제 비판, 사유재산 부정, 공동 소유 및 공동 분배 강조

산업 혁명 기계 발명
· 존 케이: 나는 북
· 하그리브스: 제니 방적기
· 아크라이트: 수력 방적기
· 제임스 와트: 증기 기관
· 로버트 풀턴: 증기선
· 스티븐슨: 증기 기관차

2020학년도 대수능 세계사

12. (가) 시기에 있었던 사실로 옳은 것은?

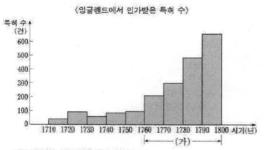

〈잉글랜드에서 인가받은 특허 수〉

※ 그래프의 막대는 각각 10년 간 총 건수를 나타냄.
※※ 출처: *Titles of Patents of Inventions*, 1854.

① 에디슨이 축음기를 발명하였다.
② 풀턴이 증기선을 실용화하였다.
③ 다윈이 종의 기원을 출간하였다.
④ 차티스트들이 인민헌장을 발표하였다.
⑤ 와트가 증기 기관 개량에 성공하였다.

정답 12. ⑤

제국주의

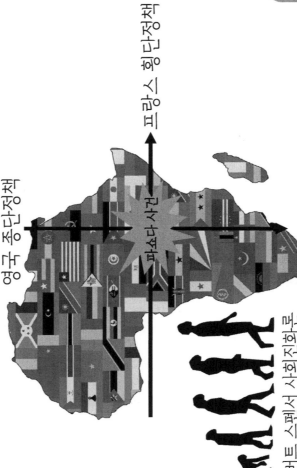
영국의 제국주의 팽창

- 영국: 종단정책, 3C정책 추진
  - 이집트 보호국화
  - 보어 전쟁
  - 남아프리카지역 장악
  - 파쇼다 사건: 프랑스와 충돌
- 프랑스: 횡단정책
  - 알제리~튀니지
  - 마다가스카르
  - 파쇼다 사건: 영국과 충돌
- 벨기에: 콩고 차지 → 베를린회의: 아프리카 어느 지역이든 먼저 점령하여 지배하는 나라가 그 지역을 차지한다는 원칙 제시
- 독일: 프랑스와 모로코를 둘러싼 분쟁
- 라이베리아, 에티오피아: 독립 유지

- 아프리카 영토가 직선인 이유
  열강이 제국주의 시대 영토 갈등을 줄이기 위해 토착 민족의 문화, 환경을 고려하지 않고 영토의 경계를 지었기 때문이다.

영국 종단정책

프랑스 횡단정책

파쇼다 사건

허버트 스펜서 사회진화론

- Cf) 아프리카 세계의 발전
- 동아프리카: 무사 → 악슘(크리스트교)
- 서아프리카(사하라 횡단 교역): 가나 → 말리 → 송가이 왕국

만사 무사: 전성기, 메카 순례, 황금 풍부

내용 정리

선생님의 필기를 바탕으로 여러분이 정리해보세요:)

핵심 내용

- ☑ _____
- ☑ _____
- ☑ _____

나의 생각

MEMO

과목	역사1	소속	( )학교 ( )학년 이름( )
단원	Ⅳ. 제국주의 침략과 국민 국가 건설 운동		
주제	2. 유럽의 산업화와 제국주의		
핵심내용	- 제국주의 배경 - 제국주의의 아프리카 침략		

주제 1 제국주의

1. 제국주의

배경	· 정치: 더 많은 영토 확보 · 종교: (크리스트교) 전파 · 경제: 독점 자본주의(원료 공급지, 상품 판매 시장) · 사상: 인종주의, (사회 진화론), 침략적 민족주의
아프리카	· 영국: 종단 정책, (3C)정책 추진 - 이집트 보호국화 - (보어) 전쟁 - 남아프리카 지역 장악 - (파쇼다 사건): 프랑스와 충돌 · 프랑스: 횡단 정책 - 알제리~ 튀니지 - 마다가스카르 - (파쇼다 사건): 영국과 충돌 · 벨기에: 콩고 차지→ (베를린 회의): 아프리카 어느 지역이든 먼저 점령하여 지배하는 나라가 그 지역을 차지한다는 원칙 제시 · 독일: 프랑스와 모로코를 둘러싼 갈등(모로코 사건), 동아프리카 삼각지대 점령 · (라이베리아, 에티오피아[1]): 독립 유지
아시아	· 영국 - (동인도 회사)를 이용 - 인도 침략, 말레이 연방 수립 · 프랑스: 베트남 침략→ 인도차이나 연방 수립 · 독일: (3B) 정책 추진 · 네덜란드: 인도네시아 장악 · 미국: 필리핀 지배

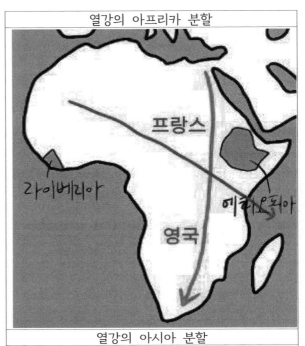

열강의 아프리카 분할

열강의 아시아 분할

2021학년도 대수능 세계사

15. 밑줄 친 '우리 나라'에 대한 설명으로 옳은 것은?

> 친애하는 나의 벗에게
>
> 우리 나라의 해군 함대가 중국 해안에서 남쪽 방면으로 출정하였다네. 아군은 불과 여섯 시간 만에 적함들을 격파하는 전과를 올렸지. 당시 마닐라 연안에 구축된 에스파냐의 포대는 제대로 된 대응 사격 한번 하지 못한 채 점령당하였네. 이처럼 필리핀에서 승리한 우리 해군의 탁월한 역량이 쿠바에서도 다시 발휘되지 않겠는가?

① 영국과 플라시 전투를 벌였다.
② 헤레로족의 봉기를 진압하였다.
③ 이산들와나 전투에서 패배하였다.
④ 앙골라, 모잠비크 등을 지배하였다.
⑤ 일본에게 진주만 기지를 기습당하였다.

<백지도에 색칠하기> EX) 영국-파란색, 프랑스-빨간색

2023학년도 대수능 세계사

16. (가) 국가에 대한 설명으로 옳은 것은?

> ┌─(가)─┐은/는 중앙아프리카 지역에서 대서양과 인도양에 이르는 식민 제국 건설 계획을 수립하였다. 만약 이 계획이 실현될 경우 벨기에는 콩고 지역을 상실할 위기에 봉착할 수 있었다. 하지만 국제 정세의 변화로 ┌─(가)─┐이/가 차지하고 있던 동아프리카의 루안다-우룬디, 케냐 이남의 탕가니카, 그리고 모잠비크 북부의 키웅가 삼각 지대 등이 벨기에, 영국 등에게 사실상 넘겨지면서, 그 계획은 무산되었다. 이는 결과적으로 영국의 아프리카 지배에도 '새로운 길'을 열어 주었다. 카이로와 케이프타운을 연결하는 과정에서 '누락되었던 고리'를 확보하게 된 영국은 이로써 아프리카의 남북을 관통하는 철도를 완성할 수 있게 되었다.

① 제1차 세계 대전 중 제정이 무너졌다.
② 마카오를 식민지로 삼아 교역 거점으로 만들었다.
③ 아도와 전투에서 메넬리크 2세의 군대에 패배하였다.
④ 무함마드 알리에게 이집트에 대한 통치권을 위임하였다.
⑤ 베르사유 조약에 따라 자르 유역의 탄광 지대를 넘겨받았다.

0   3000km

정답 15. ⑤, 16. ①

---

1) 이탈리아와의 전쟁에서 승리(아도와 전투, 1986), 이후 무솔리니가 정권을 잡은 후 이탈리아가 재침공하였다.(1935)

제 1차 세계 대전

- 배경

발칸 반도 충돌

사라예보 사건

3국 협상
VS
3국 동맹

- 전개

미국 참전

독일의 협상국과 휴전

무제한 잠수함 작전

- 성격
  - 참호전
  - 총력전
  - 외교전

- 결과
  - 민주주의 발전
  - 국제 연맹 창설
  - 베르사유 체제

내용 정리

선생님의 필기를 바탕으로 여러분이 정리해보세요:)

핵심 내용

- ☑ _____
- ☑ _____
- ☑ _____

나의 생각

MEMO

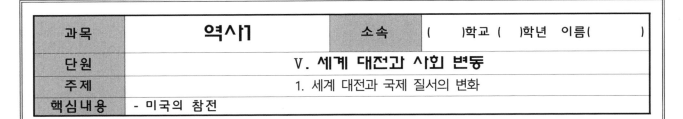

과목	역사1	소속	( )학교 ( )학년 이름( )
단원	V. 세계 대전과 사회 변동		
주제	1. 세계 대전과 국제 질서의 변화		
핵심내용	- 미국의 참전		

주제	1	제1차 세계대전

내용 정리

선생님의 필기를 바탕으로 여러분이 정리해보세요:)

1. 배경
 - 3국 동맹 vs 3국 협상

3국 동맹 (1882)	· 독일 주도 · 목적: 독일의 (프랑스) 고립 및 견제를 위해 동맹 형성 · 구성 - 독일 - 오스트리아-헝가리 - 이탈리아
3국 협상 (1907)	· 프랑스 · 러시아 · 영국

 - 3c 정책 vs 3b 정책

(3C 정책)	· 영국 주도 · 내용 - 카이로 - 케이프타운 - 콜카타
(3B 정책)	· 독일 주도 · 내용 - 베를린 - 비잔티움 - 바그다드

 - 발칸전쟁 발발

범게르만주의	독일의 오스트리아-헝가리 제국 후원
범슬라브주의	러시아의 세르비아 후원

2. 제1차 세계대전

발발	(사라예보 사건)으로 오스트리아-헝가리제국이 세르비아에 선전 포고
전개	· 동맹국 독일과 협상국 영국, 프랑스, 러시아의 참전 · 오스만 제국과 불가리아의 동맹국 가담 · (이탈리아)의 동맹국에서 협상국으로 이동 · 독일군의 진격 　- 벨기에 침공 　- 프랑스 진격 　- 마른, 솜 전투 저지(참호전) 　- ☆ (독일 무제한 잠수함 작전)으로 미국의 참전 · 러시아 혁명에 따라 전선 이탈(브레스트-리토프스크 조약)
종결	· 동맹국 불가리아, 오스만제국, 오스트리아-헝가리의 항복 · 독일 킬 군항 수병의 반란으로 공화국 선포
☆ 특징	· (총력전): 전쟁터 군인뿐 아니라 후방의 국민 전체가 전쟁에 동원 · (참호전(장기전)): 진지에 참호를 파고 방어를 하여 전쟁이 오랫동안 지속 · 신무기 등장 ex) 탱크, 잠수함, 독가스

＊ 영화로 보는 역사 원더우먼(출처: 워너미디어)

　아마존의 데미스키라에 살고 있는 다이애나는 우연히 추락한 비행사 스티브 트레버를 만난다.
　그를 따라 세상을 구하기 위해 모험을 하게 된다. 다이애나는 전쟁이 끊이지 않는 비극은 아레스가 만든 것이라고 생각하고 이를 막기 위한 전선에 뛰어들게 된 것이다.
　전쟁의 최전선에서 고통에 겪는 마을 사람들의 모습을 보면서 참호를 뚫고 독일군의 참호를 점령한다. 결국 아레스와 만나 격전을 벌이게 되는데...

 현동쌤의 현명하고 동적인 역사!

내용 정리

선생님의 필기를 바탕으로 여러분이 정리해보세요:)

핵심 내용

나의 생각

MEMO

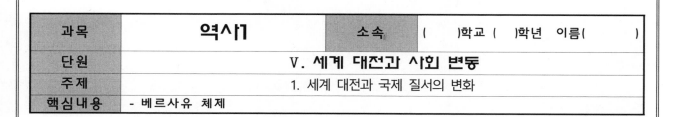
현동쌤의 현명하고 동적인 역사!

과목	역사1	소속	( )학교 ( )학년 이름( )
단원	V. 세계 대전과 사회 변동		
주제	1. 세계 대전과 국제 질서의 변화		
핵심내용	- 베르사유 체제		

주제	1	제1차 세계대전 후의 세계

내용 정리

선생님의 필기를 바탕으로 여러분이 정리해보세요:)

1. 베르사유 체제

파리 강화회의 (1919.1)	· 전승국 대표만 참석 · 윌슨의 평화 원칙 14개조 입각 · 전승국 이익과 패전국에 대한 응징
베르사유 조약 (1919.6)	· 전승국과 독일간 체결 조약 · (독일)의 모든 식민지 상실 · (알자스·로렌) 프랑스에 양도 · 배상금 지불
국제연맹	· 배경: 베르사유 조약에 따른 국제 평화와 안전 확보 목적으로 창설 · 특징 - (미국)의 의회 반대로 불참 - (군사)적 제재 수단 미비

2. 민주주의 발전

오스트리아- 헝가리 제국	· 오스트리아 공화국 수립 · 헝가리 독립
독일	(바이마르) 공화국 수립
특징	보통 선거제 확산: 노동자와 여성의 참정권 확대, 남녀 평등의 보통 선거 실시

3. 평화를 위한 노력

로카르노 조약 (1925)	모든 문제 평화적 해결 약속
켈로그-브리앙조약 (1928)	전쟁을 하지 않기로 약속

내용 정리

선생님의 필기를 바탕으로 여러분이 정리해보세요:)

핵심 내용

나의 생각

MEMO

과목	**역사1**	소속	( )학교 ( )학년 이름( )
단원	**V. 세계 대전과 사회 변동**		
주제	1. 세계 대전과 국제 질서의 변화		
핵심내용	- 2월 혁명 - 10월 혁명		

주제	1	러시아 혁명

내용 정리

선생님의 필기를 바탕으로 여러분이 정리해보세요:)

1. 혁명 이전 상황

산업화로 인한 (노동자) 계급의 성장	
지식인 사이 (사회주의) 급속히 확산	
피의 일요일 (1905)	· 배경 - 러·일전쟁에서 러시아 패전 거듭 - 차르 전제정치에 대한 불만 · 전개: 생존권 보장, 입헌 정치 요구 → 무력 진압 · 결과 - (언론과 집회) 자유 허용 - (의회(두마)) 설치

2. 러시아 혁명(1917)

2월 혁명	· 배경: 제1차 세계대전 장기화에 따른 물자 부족과 물가 상승, 거듭된 패전으로 사기 저하 · 전개: 페트로그라드에서 노동자·병사 소비에트 중심의 혁명 발생 · 결과: 니콜라이 2세 퇴위 선언, (임시정부 수립)(입헌 민주당 중심)
10월 혁명	· 배경: 제1차 세계대전 지속 참전, 임시정부의 개혁 실패, 토지 개혁 연기 · 전개: 노동자·병사 소비에트 vs 임시정부→ (레닌)의 볼셰비키 혁명 **11월 혁명을 향하여 – 레닌 –** 볼셰비키는 자신의 수중에 권력을 잡을 수 있고 잡아야 한다. 왜냐하면 즉각적으로 민주적 평화를 제공하는 데에서, 즉각적으로 농민들에게 토지를 주는 데에서, 케렌스키 (임시정부 지도자)에 의해 결딴나고 짓밟힌 민주적 제도와 자유를 다시 확립하는 데에서 볼셰비키는 그 누구도 무너뜨리지 못할 정부를 형성할 것이기 때문이다. · 결과: 임시정부 타도, 소비에트 정부 수립

3. 혁명 후 러시아

레닌	· **브레스트리토프스크조약**(1918): 독일과 강화조약 체결 · 모든 산업과 토지 국유화 · **코민테른(인터내셔널)** 결성(1919): 각국 공산주의 운동을 전체적으로 지도하는 국제 공산주의 조직 · (**신경제정책**)(NEP, 1921): 급격한 공산화에 따른 경제 혼란 극복 목적으로 자본주의적 요소 일부 도입 · **소비에트 사회주의 연방 공화국 수립**(1922): 러시아를 중심으로 우크라이나, 벨라루스 등 주변국을 흡수
스탈린	· 경제 개발 5개년 계획 추진 · 독재정치 구축

제 2차 세계 대전

- 배경
- 전개
- 결과

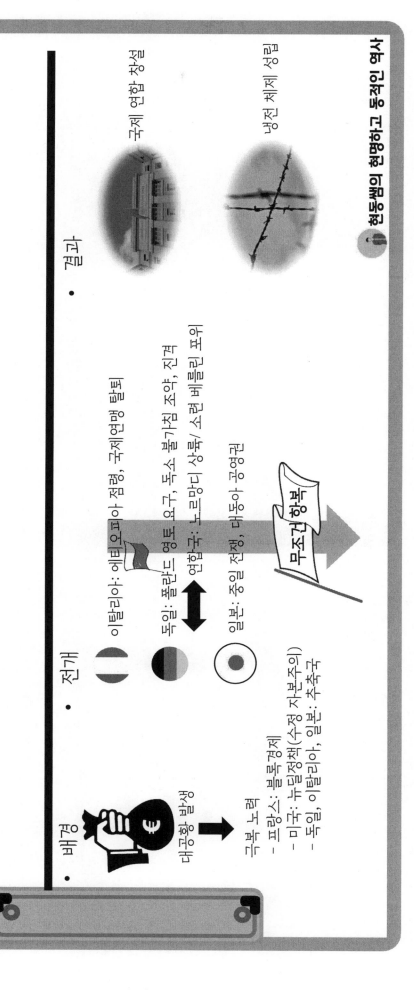

극복 노력
- 프랑스 : 블록경제
- 미국 : 뉴딜정책(수정 자본주의)
- 독일, 이탈리아, 일본 : 추축국

대공황 발생

이탈리아 : 에티오피아 점령, 국제연맹 탈퇴

독일 : 폴란드 영토 요구, 독소 불가침 조약, 진격

연합국 : 노르망디 상륙 / 소련 베를린 포위

일본 : 중일 전쟁, 대동아 공영권

무조건 항복

국제 연합 창설

냉전 체제 성립

현동쌤의 현명하고 동적인 역사!

내용 정리

선생님의 필기를 바탕으로 여러분이 정리해보세요:)

핵심 내용

나의 생각

MEMO

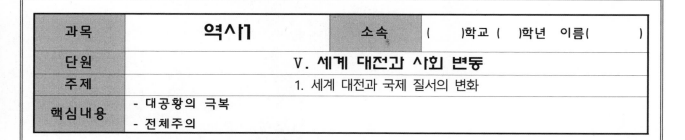

현동쌤의 현명하고 동적인 역사!

과목	역사1	소속	( )학교 ( )학년 이름( )
단원	V. 세계 대전과 사회 변동		
주제	1. 세계 대전과 국제 질서의 변화		
핵심내용	- 대공황의 극복 - 전체주의		

주제 1 제2차 세계대전

내용 정리

선생님의 필기를 바탕으로 여러분이 정리해보세요:)

1. 대공황

배경	제 1차 세계 대전 후 과잉 생산과 투자→ 미국 증권 거래소 주가 폭락	
극복	미국	루즈벨트의 (뉴딜정책)
	영국	파운드 블록 형성
	프랑스	프랑 블록 형성
	이탈리아	· 전체주의 세력 성장
	독일	· 대외 팽창 추진
	일본	

2. 전체주의

이탈리아	· 파시즘 · (무솔리니) 파시스트당 결성→ 로마 진군
독일	· 나치즘 · (히틀러) 총통 취임 <table><tr><td>히틀러 연설(1928)</td></tr><tr><td>우리 민족은 희망도 질서도 없는 국제주의로부터 해방되어야만 하며, 열광적인 민족주의에 의해서 단호하고도 열정적으로 재조직되지 않으면 안 됩니다.</td></tr></table>
일본	· 군국주의 · 만주사변, 중일전쟁, 난징 대학살

- 103 -

3. 제2차 세계대전

전쟁 전 상황	· 에스파냐 내전 · 추축국 형성: 독일, 이탈리아, 일본의 방공 협정 · ☆ 독일의 팽창: 라인란트 점령, 오스트리아 병합, 체코슬로바키아 수데텐 지방 점령, 독소 불가침 조약 체결
전개	독일의 폴란드 침공→ 영·프 대독 선전 포고 → 독일의 덴마크, 노르웨이, 네덜란드, 벨기에 공격→ **파리 점령**→ 프랑스 임시정부(영국) 항전→ 독일의 소련 침략(독소 불가침 조약 파기)→ 일본의 동남아시아 침략→ 미국의 일본 경제 봉쇄→ **일본의 (진주만) 습격** → 미국의 참전과 대일본 전투 승리(미드웨이 해전)→ 소련의 대독일 전투 승리(스탈린그라드 전투)→ 이탈리아 항복→ (**노르망디 상륙 작전**)으로 독일 항복→ **일본 항복**
결과	연합국의 승리

* 깨톡으로 보는 인물: 장제스 vs 마오쩌둥

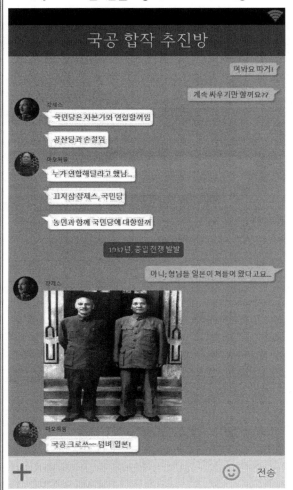

* 영화로 보는 역사, 캡틴아메리카(출처: 월트 디즈니)

세계 2차 대전 당시 허약한 청년이었던 스티브 몇 번의 입대를 시도에 실패하게 된다. 우연한 기회로 입대를 하게 되어 기쁘지만 여전히 신체적 왜소함에 어려움을 겪게 된다.

그러던 중 그의 애국심을 인정받아 특수 혈청을 맞고 초인이 된다. 퍼스트 어벤저에서 나치의 레드 스컬과 맞서 싸우며 어벤저스의 지휘관으로 활약한다.

영화 캡틴 아메리카에서 마블 코믹스 만화의 한 장면(캡틴이 히틀러를 공격하는 모습)을 재현하였다. 제2차 세계대전 시기 미국이 나치를 바라보는 시각이 잘 담겨있다.

* 소설로 보는 역사, 제5도살장(드레스덴 폭격[1]))

공군 원수 손드비가 한 말 중에는 무엇보다도 이런 대목이 있었다. 드레스덴 폭격이 큰 비극이었다는 사실은 누구도 부정할 수 없다. … 그곳에서는 재래무기를 이용한 공중 공격의 결과로 135,000명이 죽었다. 1945년 3월 9일 밤에는 고성능 소이탄을 이용한 미국 중폭격기의 도쿄 공중 공격으로 83,793명이 죽었다. 히로시마에 투하한 원자탄은 71,379명이 죽었다. 뭐 그런 거지.

　　　- 제5도살장, 커트 보니것, p.233~234 -

유럽의 제2차 세계대전은 끝이 났다. 빌리와 나머지 사람들은 어슬렁어슬렁 걸어 그늘진 거리로 나갔다. 나무 나무들이 낙엽을 떨어뜨리고 있었다. 바깥에서는 아무 일도 벌어지지 않았다. … 새들이 이야기를 하고 있었다. 새 한 마리가 빌리 필그림에서 말했다. "지지배배뱃" 　- 제5도살장, 커트 보니것, p.265 -

2021학년도 대수능 세계사

17. 밑줄 친 '점령' 이후에 발생한 사실로 옳은 것만을 <보기>에서 고른 것은?

세계사 신문 ○○○○년 ○○월 ○○일

〈기획 특집: 20세기의 사건〉

독일, 체코슬로바키아를 겨냥하다!

히틀러의 집권 이후 재무장한 독일은 체코슬로바키아의 서부 지역 일대를 요구하였다. 이에 영국과 프랑스 등은 전쟁을 피하기 위해 뮌헨 협정에서 이를 승인하였다. 그러나 히틀러는 나머지 지역까지 요구하며 팽창의 야욕을 드러내는 가운데 체코슬로바키아에 대한 점령을 감행하였다.

▲ 독일 재무장 이전 체코슬로바키아의 주변국

〈보 기〉
ㄱ. 비시 정부가 수립되었다.
ㄴ. 오스트리아가 독일에 합병되었다.
ㄷ. 독일이 노르웨이, 덴마크 등을 공격하였다.
ㄹ. 무솔리니가 에티오피아 침공을 단행하였다.

① ㄱ, ㄴ ② ㄱ, ㄷ ③ ㄴ, ㄷ ④ ㄴ, ㄹ ⑤ ㄷ, ㄹ

2023학년도 대수능 세계사

17. 밑줄 친 ㉠ 시기에 있었던 사실로 옳은 것은? [3점]

○○ TIMES ○○○○년 ○○월 ○○일

이탈리아를 우리 품으로!

우리는 이탈리아가 자유의 역사에서 영광스러운 장을 쓴 지 1세기도 채 되지 않았다는 점을 잊곤 합니다. 저는 이탈리아 국민들이 말하는 '리소르지멘토*'를 이야기하고 있는 것입니다. 이탈리아는 그 위대한 시기에 통일되었고 이탈리아 국민들은 개인의 자유를 성취하였습니다.
어제 이탈리아는 항복을 선언하였습니다. 이탈리아 국민들은 이제 영광스럽게 성취했던 자유를 재현하고 회복해 나갈 것입니다. 비록 독일은 여전히 유럽 전역에서 우리들을 위협하고 있지만 붉은 군대의 희생 속에 전황이 바뀌고 있습니다. ㉠지난 2년 동안 독일을 저지하기 위해 겪었던 소련의 희생을 이제부터는 독일이 치러야 할 것입니다.

* 리소르지멘토(Risorgimento): '부흥'이라는 뜻의 이탈리아어로 이탈리아의 통일과 독립운동을 지칭함.

① 독일이 오스트리아를 합병하였다.
② 노르망디 상륙 작전이 전개되었다.
③ 미드웨이 해전에서 일본이 패배하였다.
④ 독일과 소련이 불가침 조약을 체결하였다.
⑤ 영국과 프랑스가 독일에 선전 포고를 하였다.

힌트) 이탈리아 항복(1943), 지난 2년 동안=1941~1943년

정답 17. ②, 17. ③

---

1) 노르망디 상륙 작전과 독일 항복 사이에 들어가는 사건이다. 연합군의 공격으로 도시 자체가 폐허가 되었다. 독일계 미국인인 커트 보니것은 연합국의 일원으로 참전하였으나 독일군의 포로가 되었다. 후에 드레스덴 폭격에서 살아남아 이를 배경으로 한 소설 『제5도살장』을 출간하였다.

드레스덴 폭격 생존자 마르그렛 프라이어의 증언

온 천지가 죽음, 죽음, 죽음이다. 일부는 석탄처럼 완전히 새까맣다. 일부는 마치 잠이라도 든 양 전혀 손상되지 않은 채 누워 있다. 앞치마를 입은 여성들, 아이들을 데리고 전차에 앉아 있는 여성들, 그들은 방금 깜빡 잠이 든 것 같다. 일부 파편에 팔과 머리와 다리가 찔리고, 두개골이 박살났다. 대부분의 사람들은 큰 노란 반점과 갈색 반점을 몸에 지닌 채 부풀어오른 것처럼 보였다. 사람들의 옷은 여전히 빨갛게 불타고 있었고 나는 거울을 달라고 했고, 거울에 비친 내 모습은 더 이상 내가 아니었다. 얼굴은 물집 덩어리였고 눈은 찢어진 구멍이었다. - 폭격의 역사, 스벤 린드크비스트, 222~223쪽 -

내용 정리

선생님의 필기를 바탕으로 여러분이 정리해보세요:)

핵심 내용

나의 생각

MEMO

과목	**역사1**	소속	( )학교 ( )학년 이름( )
단원		V. 세계 대전과 사회 변동	
주제		3. 인권 회복과 평화 확산을 위한 노력	
핵심내용		- 국제 연합	

주제 1 제2차 세계대전 후 국제 질서

내용 정리

선생님의 필기를 바탕으로 여러분이 정리해보세요:)

1. 평화 모색

수뇌 회담	· 카이로 회담: 한국의 독립을 비롯한 일본 영토 처리 결정 · 얄타 회담: 전후 독일 영토 분할 결정 · 포츠담 회담: 카이로 선언 이행 재확인
☆ 국제 연합	· 배경 - 대서양 헌장(1941): 전후 평화 수립 원칙 제시 - 샌프란시스코 회의(1945): 국제 연합 헌장 채택 · 특징 - (안전 보장 이사회)의 결의가 총회보다 우선 - 상임 이사국의 거부권 행사 - (국제 연합군)을 파견해 국제 분쟁에 무력 제재 가능

내용 정리

선생님의 필기를 바탕으로 여러분이 정리해보세요:)

핵심 내용

나의 생각

MEMO

과목	역사 1	소속	( )학교 ( )학년 이름( )
단원	\multicolumn{3}{l	}{VI. 현대 세계의 전개와 과제}
주제	\multicolumn{3}{l	}{1. 냉전 체제와 제3 세계의 형성}
핵심내용	\multicolumn{3}{l	}{- 냉전 갈등 구조}

주제 1 제2차 세계대전 후 국제 질서

내용 정리

선생님의 필기를 바탕으로 여러분이 정리해보세요:)

1. ☆ 냉전

연합국이 승리함으로써 이제 막 불이 켜진 무대에 그림자가 드리워졌습니다. 발트해의 슈테틴에서 아드리아해의 트리에스테에 이르기까지 유럽 대륙 전역에 걸쳐 철의 장막이 드리워졌습니다.
　　　　　　　　　　　- 처칠의 연설, 1946 -

자유주의	트루먼 독트린→ 마셜계획→ 북대서양 조약 기구(NATO) 결성
공산주의	코민포름(공산당 정보국), 코메콘(경제 상호원조회의) 창설→ 베를린 봉쇄→ 바르샤바 조약 기구(WTO) 결성 cf. 중국의 공산화: 제2차 국공합작 → 결렬→ 내전→ 마오쩌둥의 중화 인민 공화국 수립(1949)

2. 냉전의 열전으로 발전

베를린 봉쇄	
(6·25 전쟁)	
미국의 쿠바 봉쇄	
(베트남 전쟁)	

3. 서아시아와 아프리카 독립

- 서아시아: 시리아, 요르단 등 독립
- 아프리카: 리비아 독립, 아프리카의 해(1960)

4. 인도와 동남아시아

- 인도: 영국으로부터 독립, 인도/파키스탄 분리
- 베트남: 프랑스로부터 독립, 베트남 전쟁→ 공산주의 국가
- 인도네시아: 네덜란드로부터 독립
- 필리핀, 말레이시아: 일본으로부터 독립

현동쌤의 현명하고 동적인 역사!

내용 정리

선생님의 필기를 바탕으로 여러분이 정리해보세요:)

핵심 내용

- [ ] _____
- [ ] _____
- [ ] _____

나의 생각

MEMO

과목	역사1	소속	( )학교 ( )학년 이름( )
단원	Ⅵ. 현대 세계의 전개와 과제		
주제	1. 냉전 체제와 제3 세계의 형성		
핵심내용	- 반둥회의		

주제 1 제2차 세계대전 후 독립과 제3세계

내용 정리

선생님의 필기를 바탕으로 여러분이 정리해보세요:)

1. 아시아

인도	영국으로부터 독립→ 인도, 파키스탄 분리
베트남	베트남 민주 공화국 수립→ 베트남 전쟁
서아시아	· 시리아, 레바논, 요르단 독립 · 예멘 공화국 건설 · (이스라엘 공화국) 건립

2. 아프리카: 가나, 알제리 등 독립, 아프리카의 해(1960)

3. 제3 세계

의미	아시아, 아프리카 신생국 중 자본주의 진영과 공산주의 진영 어느 진영에도 가입하지 않은 비동맹 중립 노선에 해당하는 세력
평화 5원칙	· 인도, 중국 대표 · 상호 불가침, 평화 공존 등 합의
☆ 반둥회의 (1955)	· 아시아, 아프리카 29개국 참가 · (평화 10원칙) 발표 - 제국주의와 식민주의 반대 - 분쟁의 평화적 해결

2017학년도 대수능 세계사

20. 밑줄 친 '이 원칙'의 내용으로 옳지 않은 것은? [3점]

이곳 반둥에서 우리 29개국 대표들은 역사적인 회의를 개최 하였습니다. 수카르노 대통령의 개막 연설로 시작된 회의는 일주일간의 논의 끝에 마침내 이 원칙을 채택하는 성과를 거두었습니다.

① 내정에 대한 불간섭
② 영토 및 주권의 존중
③ 자유 무역 체제의 강화
④ 강대국에 유리한 집단 안보 체제의 배제
⑤ 국제 연합 헌장에 입각한 기본적 인권의 존중

정답 20. ③

베를린 장벽 붕괴

냉전 체제의 완화와 동유럽 사회주의 붕괴

• 미국: 닉슨 독트린

소련
 - 고르바초프: 개혁개방 정책
 - 옐친 : 소련 해체

Polska
1700zł
Lech Wałęsa
Nobel 1983

→ 독일 통일(1990)

• 동유럽 사회주의 붕괴
 - 폴란드 바웬사 노조 승리

내용 정리

선생님의 필기를 바탕으로 여러분이 정리해보세요:)

핵심 내용

- ☑ _____
- ☑ _____
- ☑ _____

나의 생각

MEMO

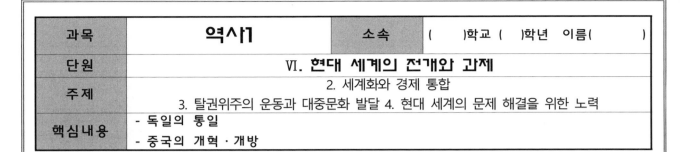

과목	역사1	소속	( )학교 ( )학년 이름( )
단원	Ⅵ. 현대 세계의 전개와 과제		
주제	2. 세계화와 경제 통합 3. 탈권위주의 운동과 대중문화 발달 4. 현대 세계의 문제 해결을 위한 노력		
핵심내용	- 독일의 통일 - 중국의 개혁·개방		

주제	1	오늘날의 세계

내용 정리

선생님의 필기를 바탕으로 여러분이 정리해보세요:)

1. 냉전 체제의 변화

미국	**닉슨 독트린**(1969, 미국의 직접적 군사 개입 축소)
소련	· **고르바초프** - 페레스트로이카, 글라스노스트 표방 - (시장 경제) 도입 - 동유럽 국가 불간섭 · 옐친: 소련 해체(1991), CIS(독립국가 연합) 결성
독일	서독으로 탈출하는 동독 주민 증가, 통일과 민주화 요구→ 베를린 장벽 붕괴→ 서독 중심 흡수 통일(1990)
동유럽 사회주의 붕괴	· 폴란드: **바웬사 자유 노조 승리** · 헝가리 · 루마니아 · 체코슬로바키아: **벨벳혁명** · 유고슬라비아

2. 중국의 발전

문화대혁명	· 대약진운동의 실패로 마오쩌둥의 권력 장악 시도 · (홍위병) 동원
	마오쩌둥은 1966년 이념의 성전을 발동함으로써 중국 전역을 흔들었고 혁명 정신을 되살리려 했다. 마오쩌둥은 학교의 문을 닫아 버렸고, 학생들로 하여금 홍위병이 되어 혁명 투쟁을 벌이도록 선동했다. 홍위병들은 '자본주의의 길로 가고 있다'면서 정부와 당의 간부들을 공격하고 군부대의 무기고에서 탈취한 무기를 들고 싸움을 벌였다.

덩샤오핑 집권	· 흑묘백묘론: 실용주의
	· (농업, 공업, 국방, 과학기술) 현대화 추진
	우리의 목전 그리고 앞으로의 상당히 긴 역사 시기의 주요 임무는 무엇인가? 한마디로 말하면 현대화 건설을 하는 것입니다. 중국의 현실 조건 아래 사회주의의 4개 현대화 를 제대로 해내는 것은 바로 마르크스주의를 견지하는 것 이며, 마오쩌둥 사상의 위대한 기치를 높이 쳐드는 것입니다. – 덩샤오핑, 1979 –
	· (시장 경제) 일부 도입
천안문 사건	

3. 유럽연합

4. 탈권위주의 운동

민권 운동 (1960년대)	· 배경: 제2차 세계 대전 후 경제 상황 개선과 대학 진학률 제고 · 마틴 루서 킹: 흑인 민권 운동 · 넬슨 만델라: 아파르트 헤이트 반대 운동 · 68운동: 프랑스에서 1968년 권위주의적 대학 교육과 미국의 베트남 침공 반대 운동
여성 운동	
대중 문화	히피 문화: 기존 사회에 서 벗어나 개인의 행복과 자유를 추구

5. 현대 문제 해결을 위한 노력

반전 평화 운동	
난민 문제	
빈곤과 질병 문제	
환경 문제	

2021학년도 대수능 세계사

16. (가) 운동에 대한 설명으로 옳은 것은? [3점]

> 류사오치는 공산당의 지도 간부들이 참석한 7,000인 대회에서 (가) (으)로 발생한 경제적 곤경과 인명 피해에 대해 "3할은 천재(天災)이고 7할은 인재(人災)이다."라고 발언하였다. 그는 (가) 이/가 중국식 사회주의 경제 건설을 표방하며 개혁을 추구했지만, 실제로는 그 목표치를 과도하게 설정한 데다가 뜻밖의 자연재해까지 겹쳐 실패할 수밖에 없었다고 지적하였다. 이러한 비판은 마오쩌둥의 반발을 불러와 오히려 류사오치 등이 정치적 타격을 받는 계기가 되었다.

① 제1차 국공 합작이 이루어지는 배경이 되었다.
② 인민 공사를 설립하여 생산성 향상을 꾀하였다.
③ 홍위병을 조직하여 부르주아 문화를 비판하였다.
④ 경제 특구를 설치하는 등 개혁과 개방을 추진하였다.
⑤ 학생과 시민이 톈안먼 광장에서 정치 민주화를 요구하였다.

2021학년도 대수능 세계사

18. (가), (나) 인물에 대한 설명으로 옳은 것은?

> ○ (가) 은/는 스탈린을 비판하고 서독과 국교를 회복하는 등 자본주의 국가들과 평화 공존을 추구하였다. 한편 쿠바에 미사일 배치를 추진하기도 했으나 결국 포기하였다.
> ○ (나) 은/는 아프가니스탄에서 군대를 철수시켜 미국과의 관계를 개선하였다. 또한 동유럽 국가에 대한 불간섭을 선언하여 동유럽의 자유화를 추진하였다.

① (가) – 제1차 비동맹 회의를 주도하였다.
② (가) – 자유 노조 연대를 이끌어 대통령에 당선되었다.
③ (나) – 동방 정책을 내세워 동독과 교류하였다.
④ (나) – 페레스트로이카와 글라스노스트를 추진하였다.
⑤ (가), (나) – 독립 국가 연합[CIS]의 결성을 주도하였다.

2023학년도 대수능 세계사

13. 다음 선언이 발표된 시기를 연표에서 옳게 고른 것은? [3점]

> 아제르바이잔, 아르메니아, 카자흐스탄, 키르기스스탄, 몰도바, 러시아 등은 국가 주권의 평등, 내정 불간섭, 분쟁의 평화적 해결, 소수 민족의 권리를 포함한 인권과 자유에 대한 존중, 영토 보전 등의 원칙 위에서 연합 창설에 관한 협정을 준수하며 다음과 같이 선언한다.
>
> ○ 세계의 안전을 보장하기 위해 핵무기에 대한 일원적인 관리를 지속한다.
>
> ○ 연합 회원국의 동의 아래 본 연합의 목적과 원칙을 인정하는 국가의 가입을 허용한다.

	(가)	(나)	(다)	(라)	(마)	
대서양 헌장 발표		트루먼 독트린 발표		쿠바 미사일 위기 발생		닉슨 독트린 발표		고르바초프 집권 시작		세계 무역 기구 출범

① (가)   ② (나)   ③ (다)   ④ (라)   ⑤ (마)

중국사

한눈에 보는 중국사

고대 · 중세 · 근대 · 현대

고대

- 중국 문명
  - 하, 상, 주
- 춘추·전국시대
- 진(기원전 221)
  - 법가, 최초의 통일
- 한/ 흉노 제국
- 위·진·남북조
  - 북위: 한화정책

중세

- 수(589)
- 당(618)
  - 안·사의 난(755)
  - 동아시아 문화권
- 송(960)/ 요·금
- 원
- 명(1368)
- 청

근대

- 제1·2차 아편 전쟁
- 태평천국 운동
- 양무 운동
- 변법자강 운동(1898)
- 의화단 운동(1899)
- 광서 신정
- 신해혁명(1911)
- 5·4운동(1919)

현대

- 제1차 국·공 합작(1924)
- 중·일 전쟁(1937)
- 제2차 국·공 합작
- 중화 인민공화국 수립(1949)
- 문화 대혁명
- 덩샤오핑의 개혁·개방

춘추전국시대와 진, 한

• 춘추·전국시대
- 혼란
- 전쟁 多
- 전차 → 보병
- 경제: 발전(철제 농기구, 우경)
- 문화: 제자백가
  - 유가: 가족, 도덕
  - 도가: 자유, 자연과 조화
  - 법가: 강력한 군주권
  - 묵가: 겸애, 평화

• 진 = 진시(황제)
- 최초 통일
- 법가, 분서갱유
- 만리장성
- 군현제
- 화폐, 도량형, 문자 통일
- 멸망: 무리한 토목공사, 엄격한 법률

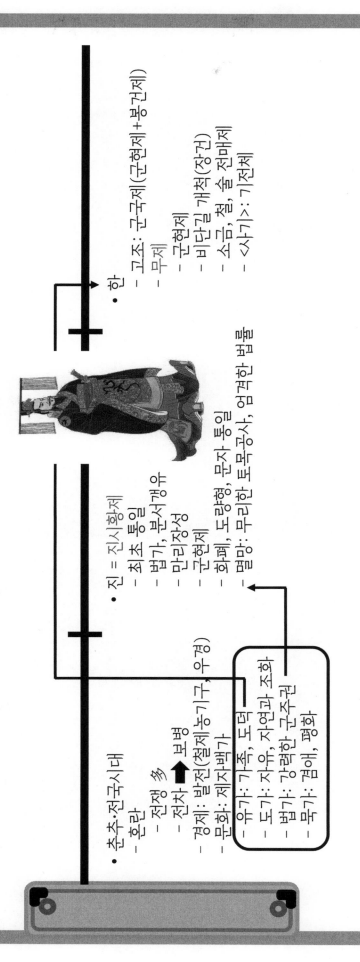

• 한
- 고조: 군국제(군현제 + 봉건제)
- 무제
  - 군현제
  - 비단길 개척(장건)
  - 소금, 철, 술 전매제
  - <사기> : 기전체

내용 정리

선생님의 필기를 바탕으로 여러분이 정리해보세요:)

핵심 내용

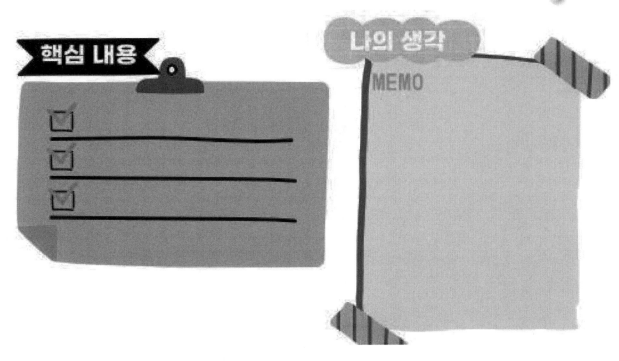

나의 생각

MEMO

과목	역사1	소속	( )학교 ( )학년 이름( )
단원	I. 문명의 발생과 고대 세계의 형성		
주제	3. 고대 제국들의 특성과 주변 세계의 성장		
핵심내용	- 춘추 · 전국 시대의 특징 - 진 시황제의 정책		

주제 1 춘추 · 전국시대와 진나라의 통일

내용 정리

선생님의 필기를 바탕으로 여러분이 정리해보세요:)

1. 춘추·전국 시대

성립	기원전 8세기경 (견융)의 침입→ 주 왕실의 낙읍(뤄양) 천도
	평왕은 즉위한 후 수도를 낙읍으로 옮겨 견융족의 침략을 피하였다. 평왕 때 주나라왕실은 쇠약해졌고 강한 제후국이 약한 제후국을 겸병하기 시작하였는데, 제나라, 초나라, 진나라, 진나라가 강대해졌다. 정치는 방백에 의해 좌지우지되었다. - 사기 -
변화	· 정치·경제: 군현제의 출현, (철제) 농기구와 (우경) 보급·토지 사유화 진행· 상공업 발달·화폐 유통 · 사회: 사농공상의 개념 등장, 철제 무기 사용

2. 제자백가의 출현: 제후들의 부국강병 추구, 인재 등용

유가	· 공자: 인과 예를 중심으로 한 (도덕) 정치 주장 · 맹자와 순자에 의해 계승, 중국 사상의 주류 형성
도가	노자·장자(무위자연 주장), 중국인의 자연관과 예술, 종교 등에 영향
법가	· 상앙, 한비자: 군주의 권위 존중과 엄격한 법치 시행 주장 · 진나라에서 (상앙)을 등용해 법가에 따른 개혁 추진
묵가	묵자: 검약, 차별 없는 (사랑)과 상호 부조 강조

3. 진나라의 통일(기원전221)

배경	(법가) 사상을 바탕으로 부국강병 달성
시황제의 정책	· (군현제) 실시 · 화폐, 도량형, 문자, 수레바퀴 폭 (통일) · 사상 통제(분서갱유) "내가 전에 천하의 쓸모없는 책들을 거두어 모두 불태우게 하고, 문학에 종사하는 선비들과 방사들을 모두 불러 모아 태평성세를 이루려 하였더니, 방사들이 단약을 구워 기이한 선약을 구하고자 하였다." 이에 이사에게 이러한 부류들을 모조리 심문하게 하니, 이 자들은 서로를 끌고 들어가며 고발하였다. 시황제가 몸소 법을 어긴자들 460여 명을 골라내어 모조리 함양에 파묻었다. — 사기 — · (흉노)를 북으로 몰아냄(만리장성 축조) 마침내 흉노가 동쪽으로 습격하였다. 동호는 처음에 흉노를 가볍게 보고 방비를 갖추지 않고 있었다. 그래서 묵특이 군대를 이끌고 동호땅에 도착하여 공격하니 동호는 크게 패해 망하였다. 마침내 진나라 몽염이 탈취해 간 흉노의 땅을 모두 거두어들였다. — 한서 —
멸망	(진승·오광의 난) 등 각지에서 반란→ 멸망

* 흉노 제국의 성장

- 유목민족
- 묵특의 선우(흉노의 대군주 명칭) 즉위
- 한 고조 공격을 막음
- 한의 조공
- 한과 서역 중계 무역

2016학년도 대수능 세계사

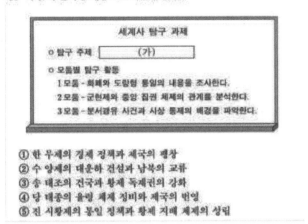

5. (가)에 들어갈 내용으로 적절한 것은?

세계사 탐구 과제
○ 탐구 주제   (가)
○ 모둠별 탐구 활동
 1모둠 - 화폐와 도량형 통일의 내용을 조사한다.
 2모둠 - 군현제와 중앙 집권 체제의 관계를 분석한다.
 3모둠 - 분서갱유 사건과 사상 통제의 배경을 파악한다.

① 한 무제의 경제 정책과 제국의 팽창
② 수 양제의 대운하 건설과 남북의 교류
③ 송 태조의 건국과 황제 독재권의 강화
④ 당 태종의 율령 체제 정비와 제국의 번영
⑤ 진 시황제의 통일 정책과 황제 지배 체제의 성립

* 깨톡으로 보는 인물: 진시황

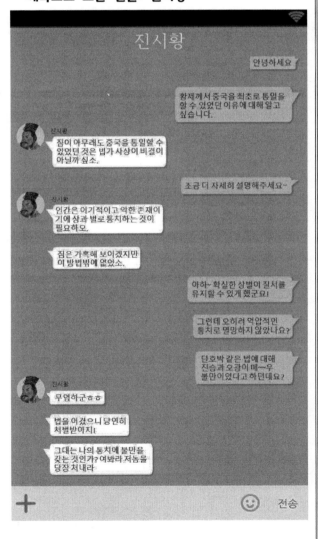

정답 5. ⑤

내용 정리

선생님의 필기를 바탕으로 여러분이 정리해보세요:)

핵심 내용

나의 생각

MEMO

과목	역사1	소속	( )학교 ( )학년 이름( )
단원	I. 문명의 발생과 고대 세계의 형성		
주제	3. 고대 제국들의 특성과 주변 세계의 성장		
핵심내용	- 한 무제의 업적 - 한의 문화		

주제 1 한나라

내용 정리

선생님의 필기를 바탕으로 여러분이 정리해보세요:)

1. 한의 건국과 발전

고조	· 건국(기원전202) · (군국제) 실시(군현제와 봉건제 절충)
무제	· 중앙 집권 체제 강화: (군현제) 확대 · 유교의 통치 이념화: 동중서 건의 수용 · 대외 정책: 흉노 견제를 위해 (장건)을 대월지에 파견→ (비단길) 개척, 남월과 고조선 정복 · 통제 경제: 소금·철의 전매제, 균수법, 평준법, 오수전 주조 돈과 곡식을 담당하는 관청에서 소금, 철을 담당한 관리의 의견을 황제에게 올렸다. "백성을 모집하여 비용은 스스로 감당하게 하고 관청의 도구로 철을 주조하게 하며, 소금을 굽는 사람에게도 관청에서 수당과 도구를 주시기를 바랍니다. 멋대로 철기나 소금을 만드는 사람들은 왼발에 족쇄를 채우고 그 기물을 몰수하십시오." - 사기 -

신	(왕망)이 건국, 토지 국유화 등 개혁 실시, 호족들의 반발로 멸망
후한	· 성립: 광무제가 (호족)의 지원으로 뤄양에 도읍 · 멸망(220): 환관·외척·관료의 대립, (황건적)의 난 등 농민 반란

2. 한의 사회·경제·문화

사회	호족의 세력 강화 - (향거리선제) - 대토지 소유
경제	철제 농기구 보급 확대, 농업 생산량 증가
문화	중국 전통 문화의 기틀 마련 - 학문: 유교의 통치 이념화, (훈고학)의 발달 - 역사서: 사마천의 (사기), 반고의 한서 - 종교: (불교)의 전래, 태평도와 오두미도의 유행 - 기타: 채륜의 (제지술) 개량

[2017학년도 대수능]

밑줄 친 '이 책'이 저술된 왕조에서 있었던 사실로 옳은 것은?

> 친구여, 드디어 책을 완성해 황제에게 바쳤다네. 이 책에서 나는 고대부터 현재까지의 역사를 본기, 표, 서, 세가, 열전으로 나누어 망라하였지. 특히 통치자를 비롯한 개인의 전기를 중심으로 역사를 서술하였다네. 내가 심혈을 기울여 처음 시도한 이러한 방식의 역사 서술이 후대에 모범이 되기를 간절히 바랄 뿐이네.

① 향거리선제가 실시되었다.
② 상앙이 개혁을 추진하였다.
③ 법현이 인도를 순례하였다.
④ 윈강 석굴 사원이 조성되었다.
⑤ 조로아스터교, 마니교 등이 유행하였다.

2021학년도 대수능 세계사

2. 밑줄 친 '이 책'이 저술된 왕조의 문화에 대한 설명으로 옳은 것은?

> 이 책의 본래 이름은 「태사공서」로 천문, 기록 등을 담당하던 태사령이라는 저자의 관직명에서 비롯되었다. 저자는 전설을 포함하여 당시까지의 역사를 본기, 세가, 열전, 서, 표의 다섯 부분으로 나누어 서술하였다. 이러한 기술 방식은 훗날 기전체라고 불리며 정사 서술의 모범이 되었다. 저자는 부친의 유언을 받들어 저술 작업을 지속하던 중 무옥과 형벌의 고초를 겪으면서도 책을 완성했다는 점에서 그의 노력은 인간 승리의 사례로 평가받는다.

① 훈고학이 발달하였다.
② 수시력이 제작되었다.
③ 홍루몽이 출간되었다.
④ 천공개물이 간행되었다.
⑤ 오경정의가 편찬되었다.

정답 ①, 2. ①

위진 남북조와 수

후한 · — 위 · — 진 · — 5호 16국 — · 동위 — 북제 · 수
촉 · 서위 — 북주

오 ·

북위 —

효문제
- 균전제
- 한화정책
- 용문, 윈강 석굴

< 북조 >

< 남조 >
송 · 제 · 양 · 진
문벌귀족, 노장/청담사상

동진

1. 문제
- 과거제
- 균전제
- 조용조
- 부병제
2. 양제
- 대운하 완성
- 고구려 원정

윈강 석굴 고개지 여사잠도 대운하 건설

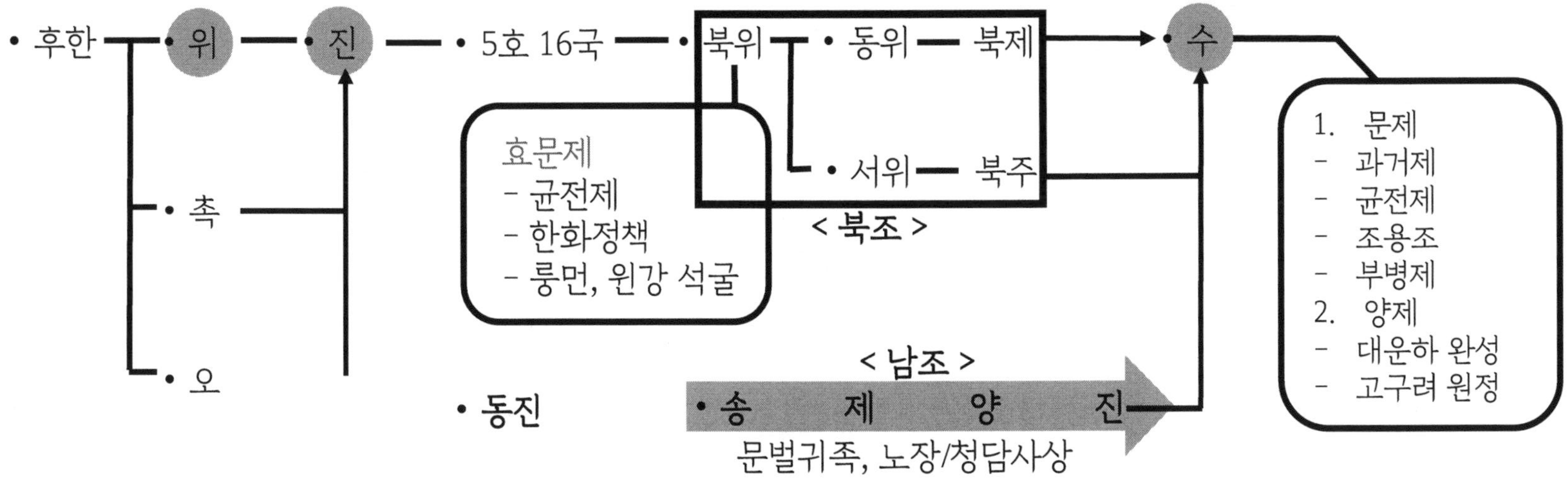

내용 정리

선생님의 필기를 바탕으로 여러분이 정리해보세요:)

핵심 내용

- ☑ _____
- ☑ _____
- ☑ _____

나의 생각

MEMO

과목	**역사1**	소속	( )학교 ( )학년 이름( )
단원	Ⅱ. 세계 종교의 확산과 지역 문화의 형성		
주제	2. 동아시아 문화의 형성과 확산/ 위·진·남북조		
핵심내용	- 북위 - 종교와 예술의 발달		

주제 1 위·진·남북조

내용 정리

선생님의 필기를 바탕으로 여러분이 정리해보세요:)

1. 위·진·남북조 시대의 전개
- 후한 멸망 후 분열의 시대

북조	· 북위의 화북 통일 · 이후 북위 효문제의 (한화 정책) 효문제는 관료들에게 "어제 부녀자들의 의복을 보니, 여전히 옷깃이 좁고 소매도 좁았다. 내가 정벌을 시작한 지 3년은 안 되었으나 이미 한 해가 지났는데, 그대들은 무슨 까닭으로 예전의 호복 금지 조칙을 어기고 있는가"라고 꾸짖었다. - 위서 - - 뤄양 천도 - 한족 성씨 사용 - 한족과 결혼 장려 · 동위와 서위로 분열→ 북제와 북조로 계승
남조	· 한족의 강남 이주 · 빈번한 왕조 교체(송→제→양→진)

2. 위·진·남북조 시대의 사회와 경제

문벌 귀족	9품중정제 시행으로 호족이 문벌 귀족으로 성장
강남 개발	한족의 강남 이주 이후 개간지 확대, 벼농사 발달→ 강남의 경제력 향상, 인구 증가
북위의 (균전제)	· 자영농 육성 · 국가재정 확보

3. 위·진·남북조 시대의 문화

특징	· 호한 융합: 북방 민족이 한족과 함께 거주하면서 나타난 특징 · 북조: 북방 유목 민족의 강건한 가풍 · 남조: (귀족) 문화 발달 (현실 도피)
종교 사상	· 불교: 북조 왕실의 후원, 대규모 석굴 사원, 구마라습(불경 번역), 법현(인도 순례, 굽타왕조) · 도교: 도가 사상과 신선 사상 결합 · 노장·청담사상 유행 ex) 죽림칠현
문학 회화	· 문학: 도연명의 (귀거래사) · 회화: 고개지의 (여사잠도)

2019학년도 대수능 세계사

10. 밑줄 친 '이 왕조'에서 있었던 사실로 옳은 것을 <보기>에서 고른 것은? [3점]

> 사마염이 세운 나라가 내분으로 혼란에 빠지자, 이 틈을 타서 5호가 화북 지역에 여러 왕조를 세웠다. 5호 중 하나인 선비족이 세운 이 왕조는 화북 지역을 통일하고 새로운 토지 분배 제도를 마련하였다. 이 제도는 양인의 경우 15세 이상의 남성과 여성에게 각각 일정한 양의 토지를 지급하도록 정하고 있었다. 노비에게도 양인의 규정을 적용하고, 일할 수 있는 소에 대해서도 토지를 할당하도록 하였다.

> <보 기>
> ㄱ. 한화 정책이 추진되었다.
> ㄴ. 윈강 석굴이 조성되었다.
> ㄷ. 만한 병용제가 채택되었다.
> ㄹ. 북면관과 남면관이 설치되었다.

① ㄱ, ㄴ ② ㄱ, ㄷ ③ ㄴ, ㄷ ④ ㄴ, ㄹ ⑤ ㄷ, ㄹ

2023학년도 대수능 동아시아사

10. 밑줄 친 '이 왕조'에 대한 설명으로 옳은 것은?

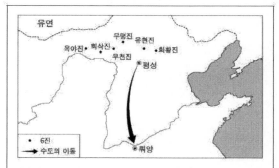

> 화북 지역을 통일한 이 왕조는 북방의 강성한 유목 민족인 유연을 방어하기 위하여 6진을 설치하였다. 그 뒤 호한 융합 정책의 일환으로 뤄양 천도가 이루어지자, 북방을 방어한다는 이유로 좋은 대우를 받았던 6진의 병사들은 조정의 관심에서 멀어졌다. 황제는 많은 죄인을 6진으로 유배 보냈고 이곳의 병사들은 자신들이 죄인과 동일시되는 것에 대해 커다란 불만을 갖게 되었다. 계속되는 홀대 속에서 가장 서쪽인 옥야진에서 반란이 시작되었고 나머지 진들 역시 이에 호응하여 반란에 참가하였다. 결국 이 반란은 이 왕조가 동·서 2개의 왕조로 분열되는 한 원인이 되었다.

① 송과 대립하였다.
② 연운 16주를 할양받았다.
③ 남북조의 분열을 종식시켰다.
④ 5대 10국의 혼란을 수습하였다.
⑤ 발해와 조공·책봉 관계를 맺었다.

정답 10. ①, 10. ①

당나라

• 동아시아 문화권: 한자, 불교, 유교, 율령

당삼채

• 이연의 건국

• 태종: 고구려 원정, 정관의 치

• 고종

• 현종: 개원의 치

안정 ⇅ 혼란

토지: 균전제 → 장원제
군사: 부병제 → 모병제
세금: 조·용·조 → 양세법

– 통치 체제 붕괴

• 안·사의 난

• 황소의 난

• 주전충의 반란

범양절도사 안녹산이 반란을 일으켜 수도를 공략하였는데, 천자의 병사들은 약해서 막아 내지 못하고 결국 수도 장안과 뤄양을 빼앗겼다.

– 신당서 –

내용 정리

선생님의 필기를 바탕으로 여러분이 정리해보세요:)

핵심 내용

- ☑ _____
- ☑ _____
- ☑ _____

나의 생각

MEMO

과목	역사1	소속	( )학교 ( )학년 이름( )
단원	Ⅱ. 세계 종교의 확산과 지역 문화의 형성		
주제	2. 동아시아 문화의 형성과 확산/ 수·당		
핵심내용	- 안사의 난 이후 변화 - 당의 문화		

주제 1 수·당

내용 정리

*기미 정책: 직접 지배가 얼운 주변 민족을
간접적으로 통치하는 방식으로 당에서
주로 행하였다.

* 당의 제도 변화
  1. 토지: 균전제-> 장원제
  2. 군사: 부병제-> 모병제
  3. 세금: 조용조-> 양세법

선생님의 필기를 바탕으로 여러분이 정리해보세요:)

1. 수나라

건국	· 북주의 양견이 건국(581) · 남북조 통일(589)
발전	· 문제 - 9품중정제 폐지 - (선거제(과거제)) 도입 - 균전제 시행 - 조·용·조(조세) - 부병제 시행 · 양제 - (대운하) 완성 - 대외원정 실시 ex) 고구려 정벌
멸망	· 원인 - 대규모 토목공사 - 무리한 대외원정 · 농민과 지방 세력의 반발로 멸망

2. 당나라

건국	이연이 장안을 도읍으로 건국(618)
발전	· 태종: 정관의 치, 율령체제 정비, (동돌궐) 복속 · 고종: 신라와 힘을 합쳐 백제와 고구려를 공격 · 현종: 개원의 치
쇠퇴	· ☆ (안·사의 난) 이후 절도사의 발호→ 중앙 권력의 약화 범양절도사 안녹산이 반란을 일으켜 수도를 공략하였는데, 천자의 병사들은 약해서 막아 내지 못하고 결국 수도 장안과 뤄양을 빼앗겼다. 숙종이 영무에서 토벌군을 일으키고, 여러 진들의 병사들도 호응하여 반란군은 완전히 궤멸되었으나, 참전 병사들이 전공을 빌미로 군대 조직을 유지하였고, 큰 공을 세워 제후나 왕으로 봉해졌던 자들은 모두 절도사가 되었다. - 신당서 - · 환관 세력 득세

멸망	· 장원 증가
	· (황소)의 난
	· 절도사 주전충에 의해 멸망

3. 당의 문화

특징	귀족적·(국제적) 문화
유학	공영달의 오경정의
문학	시 발달, 이백두보
공예	당삼채
종교	· 불교: 선종 발달, 현장(대당서역기)
	· 도교: 황실 보호
	· 외래 종교: 조로아스터교, 마니교, 경교, 이슬람교

4. 동아시아 문화권의 발전

(유교)	정치 이념과 사회 규범으로 기능
(불교)	당 대에 경전 번역이 활발해져 중국화 촉진
(한자)	동아시아 지역의 공용 문자로 기능
(율령)	당의 율령이 인접 국가의 율령 체제 형성에 큰 영향

* 깨톡으로 보는 인물: 당태종

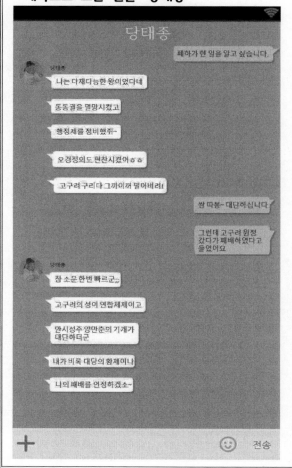

2018학년도 대수능 세계사

7. 밑줄 친 '제도'에 대한 설명으로 옳은 것은? [3점]

> 나라가 혼란에 빠진 지 수십 년이 지나는 동안 고향 땅에 남아 있는 이는 백 명 중 네댓 명 정도였다. 이에 재상 양염은 국가 재정 지출에 따라 세액을 결정하고 여름과 가을 두 차례에 걸쳐 징수하는 제도의 시행을 건의하였다.

① 문벌 귀족의 형성에 기여하였다.
② 황소의 난을 계기로 도입되었다.
③ 균전제 실시의 기반을 마련하였다.
④ 5호의 화북 점령 이전에 실시되었다.
⑤ 자산에 따른 세금 부과를 규정하였다.

2020학년도 대수능 세계사

5. 밑줄 친 '반란'이 일어난 왕조에서 볼 수 있는 모습으로 적절하지 않은 것은? [3점]

> 천보 4년, 양옥환은 귀비로 책봉되었다. 황제의 총애를 받은 덕분에 그녀의 친족들은 벼락출세를 하였다. 그중 재상이 된 양국충은 안녹(록)산을 시기하여 그를 제거하려다가 안녹산의 반란을 초래하였고, 황제를 모시고 피란 가던 도중에 양귀비와 함께 죽음을 맞았다.

① 탈라스 전투에 참전한 군인
② 청명상하도를 감상하는 황제
③ 균전제의 실태를 조사하는 관리
④ 조로아스터교 사원에 가는 신도
⑤ 불경을 구하러 인도로 떠나는 승려

정답 7. ⑤, 5. ②

한족 계열
유목민족 계열

송, 원, 명, 청

송 → 원 → 명 → 청

강희제

칭기즈 칸

홍무제

청명상하도

송
- 태조: 문치주의, 과거제 개혁, 황제권 강화
- 신종: 왕안석 신법
- 금의 침략으로 화북을 빼앗김(남송)
- 경제: 농업 발전, 상업 발전 ex) 해상무역(시박사)
- 문화: 성리학, 서민 문화

정복왕조
- 요(거란), 금(여진), 원(몽골)
- 이원적 통치 체제: 유목+한족

몽골(원)
- 칭기즈 칸: 유목민 통합, 서하와 금 정복 -> 사후 분열
- 쿠빌라이 칸: 대도 천도, 국호 원, 남송 멸망
- 동서교류 ex) 역참제, 이븐 바투타, 마르코 폴로
- 서민문화 발달

명
- 홍무제: 황제권 강화, 한족 문화 부흥
- 영락제: 베이징 천도, 정화의 원정
- 쇠퇴 및 멸망: 환관 득세, 북로 남왜의 화, 이자성의 난

청
- 누르하치: 후금 건국
- 홍타이지: 국호 청
- 강희제: 삼번의 난 진압
- 옹정제: 군기처 설치, 새로운 화이사상
- 건륭제: 십전무공, 사고전서 편찬

내용 정리

선생님의 필기를 바탕으로 여러분이 정리해보세요:)

핵심 내용

☑ _____
☑ _____
☑ _____

나의 생각

MEMO

과목	역사1	소속	( )학교 ( )학년 이름( )
단원		Ⅲ. 지역 세계의 교류와 변화	
주제		1. 몽골 제국과 문화 교류	
핵심내용	- 문치주의 - 성리학		

주제 1 송나라

내용 정리

*왕안석 신법

부국책	청묘법	
	시역법	
	모역법	
	균수법	
강병책	보갑법	
	보마법	

스스로 정리해보세요:)

선생님의 필기를 바탕으로 여러분이 정리해보세요:)

1. 송의 건국과 발전

건국	(절도사) 출신 조광윤이 송 건국 (960)
황제권 강화	· (문치주의): 절도사 권한 약화, 황제의 군사권 장악, 문관 우대 · 과거제 개편: 전시 시행
(왕안석)의 신법	· 목적: 재정난 극복, 부국강병 · 내용: 부국책, 강병책 · 결과: 일시적 재정 개선→ 보수파 반대로 실패
남송	· 금의 침입으로 화북 상실→ 임안(항저우) 천도 · 몽골의 침략으로 멸망(1279)

2. 경제와 문화

경제	· 농업: 모내기법 도입, 참파벼 도입 · 수공업: 석탄 사용 보편화 · 상업: 도시상공업자의 동업조합(행·작) 결성, 전국적 규모의 시장 형성, 해상무역 활발(시박사에서 세금, 무역 업무 전담)
문화	· (성리학)의 발달 - 남송 주희에 의해 집대성 - 대의명분, 화이론 강조 · (서민문화)의 발달 - 배경: 경제 발전과 서민 의식의 성장 - 내용: 상설 공연장, 잡극, 통속 문학 유행 · 과학 기술: (화약, 나침반, 인쇄술)

2023학년도 대수능 동아시아사

7. (가) 인물에 대한 설명으로 옳은 것은?

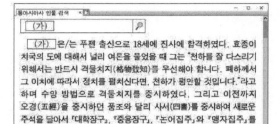

동아시아사 인물 검색

[(가)]

(가) 은/는 푸젠 출신으로 18세에 진사에 합격하였다. 효종이 치국의 도에 대해서 널리 여론을 물었을 때 그는 "천하를 잘 다스리기 위해서는 반드시 격물치지(格物致知)를 우선해야 합니다. 폐하께서 그 이치에 따라서 정치를 펼치신다면, 천하가 평안할 것입니다."라고 하며 수양 방법으로 격물치지를 중시하였다. 그리고 이전까지 오경(五經)을 중시하던 풍조와 달리 사서(四書)를 중시하여 새로운 주석을 달아서 「대학장구」, 「중용장구」, 「논어집주」와 「맹자집주」를 저술하였다.

① 성리학을 집대성하였다.
② 고사기전을 집필하였다.
③ 사서오경왜훈을 저술하였다.
④ 주자감에서 유교 경전을 가르쳤다.
⑤ 시헌력을 제작하여 역법 개정을 주도하였다.

2023학년도 대수능 동아시아사

9. (가), (나) 국가에 대한 설명으로 옳은 것은? [3점]

유악이 눈물을 흘리며 말하기를 "우리 태후는 연로하시고 새로 즉위한 황제도 아직 나이가 어립니다. 상중에 군대를 보내는 것은 예의에 맞지 않으니 군대를 물려주십시오."라고 하였다. 이에 바얀이 답하기를 "우리 황제가 즉위하시고 바로 너희와 수교하기 위해 사신을 보냈으나, 너희가 오랫동안 가두었으니 군대를 동원해 죄를 묻는 것이다."라고 꾸짖었다. 결국 (가) 의 어린 황제가 멀리 북쪽에 있는 (나) 황제의 궁궐을 향해 절을 한 뒤 항복하였고, 곧이어 바얀이 (가) 의 수도 임안을 함락하였다.

① (가) - 백제에 불교를 전해 주었다.
② (가) - 야마타이국의 조공을 받았다.
③ (나) - 맹안·모극제를 실시하였다.
④ (나) - 일본 원정을 두 차례 단행하였다.
⑤ (나) - (가)와 전연의 맹약을 체결하였다.

바얀=원나라의 명장. 쿠빌라이 칸의 심복으로서 남송 정벌에서 맹활약한 것으로 유명하다.

정답 7. ①, 9. ④

내용 정리

선생님의 필기를 바탕으로 여러분이 정리해보세요:)

핵심 내용

나의 생각

MEMO

과목	역사1	소속	( )학교 ( )학년 이름( )
단원	Ⅲ. 지역 세계의 교류와 변화		
주제	1. 몽골 제국과 문화 교류		
핵심내용	- 이중 통치 체제 - 원대 교초의 발행		

주제	1	북방 민족

내용 정리

*전근대 동서 교역로

1. 초원길: 유목민족이 초원 지대를 가로질러 교역하는 길목
2. 사막길(비단길): 동서교류에 중요한 역할 수행한 교역로
3. 바닷길: 8세기 이후 이슬람 상인이 장악한 길

선생님의 필기를 바탕으로 여러분이 정리해보세요:)

1. 북방민족

요	· 거란족 야율아보기가 부족을 통합하고 건국 · (연운 16주) 차지 · ☆ 이중 지배 체제: 북면관제·남면관제 · 거란문자 사용
금	· 아구타의 여진족 통일 · 요를 무너뜨림 · 송의 수도 카이펑 함락 · ☆ 이중 지배 체제: 맹안·모극제, 주현제 · 여진문자 사용

2. 원

정치	· 테무친(칭기즈 칸): 몽골족을 통일, 서하와 금 공격, 천호제 실시 · 쿠빌라이 칸: 대도(베이징) 천도, 국호 원, 남송 정복 · (몽골 제일주의): 몽골인의 고위직 독점, 색목인 우대(재정 업무 담당), 남인(남송의 한족) 차별
경제	· 역참제 · ☆ 지폐(교초) 사용 쿠빌라이 칸은 조폐소에서 지폐(교초)를 만든 뒤 그가 통치하는 모든 지역과 왕국들 사이에서 통용되도록 하였다. - 동방견문록 -
문화	· 서민 문화 발달 · 다양한 종교 유행 · 티베트 불교 신봉

현동쌤의 현명하고 동적인 역사!

과목	역사1	소속	( )학교 ( )학년 이름( )
단원	Ⅲ. 지역 세계의 교류와 변화		
주제	2. 동아시아 지역 질서의 변화		
핵심내용	- 정화의 항해 - 명·청의 각 황제의 업적		

주제 1 명·청 제국

내용 정리

선생님의 필기를 바탕으로 여러분이 정리해보세요:)

내용 정리

선생님의 필기를 바탕으로 여러분이 정리해보세요:)

1. 명

홍무제	· 태조, 주원장 · 반원세력을 규합해 명 건국(1368) · 황제권 강화 　- 대대적 숙청 　- (재상제) 폐지 　- 관료 감찰 　- 이갑제 실시 · 한족 문화 부흥: 과거제 정비, 육유 반포
영락제	· 베이징 천도 · 대외: 몽골 원정, 베트남 복속 · ☆ (정화)의 항해 바다 건너 있는 여러 번국은 참으로 먼 나라지만 모두 보물을 가지고 몇 사람의 통역을 거치고 와서 조공한다. 황상께서는 그 충성을 어여삐 여겨 정화 등에게 수만 인을 통솔하고 거함 백여 척을 타고 가서 선물을 주도록 하였으니, 이는 덕화를 베풀고 먼 곳의 사람을 회유하기 위해서이다. 　　　　　　　- 천비지신령응기 -
쇠퇴 및 멸망	· 배경 　- 환관의 정치 참여 　- 몽골족과 왜구의 침략 　- 임진왜란 때 군사 재정적 부담 　- 과중한 세금으로 인한 농민 반란 ex) (이자성)의 난으로 멸망(1644)

2. 청

누르하치	· 태조 · 팔기제 운영 · 여진족을 통일해 후금 건국(1616)
홍타이지	· 태종 · 몽골 공략 · 국호를 (청)으로 바꿈 · 조선 침략
강희제	· 삼번의 난 진압 · 타이완 반청세력 진압→(천계령) 해제 역적들이 통치에 저항하며 해상의 질서를 어지럽혀 왔다. 그동안 그들을 고립시키기 위하여 연해 지역을 봉쇄하고 선박의 해외 출항을 금지하였다. 최근 역적들을 진압하여 타이완이 복

	속되었다. 이에 짐은 해금령을 해제하고 해외 도항을 허가하는 바이다. 　　　　　　　- 포고문 - · 러시아와 네르친스크 조약 체결
옹정제	· 군기처 설치 · 러시아와 카흐타 조약 체결 · 새로운 화이사상 정립: (도덕성)
건륭제	· 티베트, 몽골, 신장 정복으로 오늘날 중국 영토의 대부분 확보 · (『사고전서』) 편찬
쇠퇴	백련교의 난
지배 방식	<table><tr><td>강경</td><td>· 변발·호복 강요 · 사상 탄압</td></tr><tr><td>회유</td><td>· 만한 병용제 · 한족의 전통문화 존중</td></tr></table>

3. 명·청의 경제·사회·문화

경제	· 농업 　- 관개 시설 확대, 품종 개량→ 농업 생산량↑ 　- 외래 작물의 보급 ex) 고구마, 담배, 옥수수 등 　- 쌀 생산지 변화: 양쯔강 하류(송) → 양쯔강 중류(명)·상류(청) · 상업 　- 대상인 집단의 출현 　　ex) 산시상인, 신안상인 　- 차, 비단, 도자기 수출로 대거 (은)이 유입 ☆ <명·청의 조세제도> 명: 일조편법(각종 세금을 토지와 인정 수에 따라 징수) 청: 지정은제(정세를 지세에 통합) · 서민층 지위 향상으로 인한 투쟁 　- 소작료 납부 거부 운동(항조) 　- 직용의 변
사회	신사층(학위 소지자+과거 합격자+관료)
문화	· 학문 　- 명: (양명학)(지행합일) 　- 청: (고증학)(문헌 근거 실증 연구) · 서민 문화 　- 명: 수호전, 삼국지연의 　- 청: 홍루몽 · 서양 문물 　- 명: 마테오 리치 천주실의 　- 청: 아담 샬 역법, 대포 제작 기술

2017학년도 대수능 세계사

8. 밑줄 친 '황제'에 대한 설명으로 옳은 것은? [3점]

황제는 대내적으로 수도를 난징에서 베이징으로 옮기고, 화북과 강남 지방을 연결하는 대운하를 정비하였다. 또한 대외적으로 몽골을 수차례 공격하는 한편, 대군을 동원하여 베트남(대월)을 점령하였다.

① 서하를 정복하였다.
② 남송을 멸망시켰다.
③ 정화의 함대를 파견하였다.
④ 티베트, 신장을 복속시켰다.
⑤ 네르친스크 조약을 체결하였다.

2021학년도 대수능 세계사

3. 다음 지시가 내려진 시기의 왕조에 대한 설명으로 옳은 것은? [3점]

짐은 건국 이후 혼란한 상황에서 부득이하게 법을 벗어난 형벌을 사용하였다. 이제부터 법전에 따라 형벌을 집행하도록 하라. 또한 짐은 재상직을 폐하고 천하의 사무를 오부, 육부, 도찰원 등 여러 관청에 나누어 관장하게 하였다. 앞으로도 나를 이을 군주들은 재상을 다시 세우지 말지어다.

① 군기처를 설치하였다.
② 고구려를 침공하였다.
③ 이갑제를 시행하였다.
④ 5대 10국의 혼란을 수습하였다.
⑤ 황소의 난으로 국력이 쇠퇴하였다.

정답 8. ③, 3. ③

근대화 수립 운동

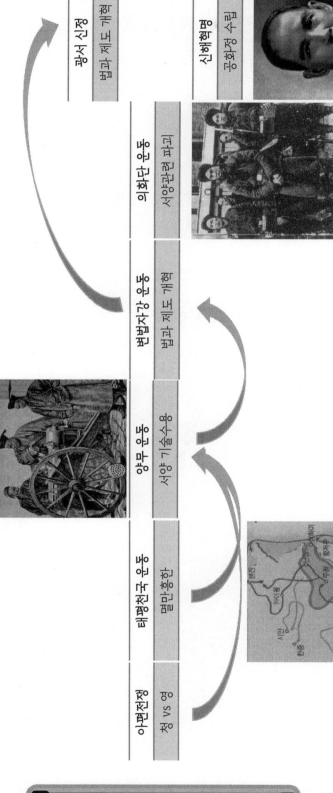

아편전쟁	태평천국 운동	양무 운동	변법자강 운동	의화단 운동	신해혁명	광서 신정
청 vs 영	멸만흥한	서양 기술수용	법과 제도 개혁	서양권력 파괴	공화정 수립	법과 제도 개혁

쑨원

내용 정리

선생님의 필기를 바탕으로 여러분이 정리해보세요:)

핵심 내용

나의 생각

MEMO

과목	**역사1**	소속	( )학교 ( )학년 이름( )
단원	Ⅳ. 제국주의 침략과 국민 국가 건설 운동		
주제	4. 동아시아의 국민 국가 건설 운동		
핵심내용	- 제 1차 아편 전쟁 - 제 2차 아편 전쟁		

주제	1	중국의 문호 개방

1. 청의 쇠퇴

국내 상황	· 재정 궁핍 · 관리의 부정 부패 · 팔기군의 무력화 · 급속한 인구 증가와 식량 부족, 물가폭등
국외 상황	· 청의 중화 질서 강조, (공행) 무역 · 유럽 열강의 문호 개방 압력, 공행 무역 폐지 요구

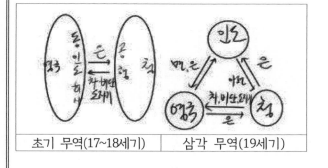

초기 무역(17~18세기)	삼각 무역(19세기)

2. 제 1차 아편 전쟁

배경	영국의 (삼각 무역) 추진으로 은 유출로 인한 청의 재정 파탄, 아편 중독자 증가로 사회 문제 발생
과정	① (임칙서)의 아편 몰수 및 폐기, 영국 상인의 아편 무역 금지 ② 영국이 군함을 파견해 공격
결과	· 영국의 승리와 (난징) 조약 체결(1842): (홍콩) 할양, (5개) 항구 개항, (공행) 폐지, 배상금 지불 **난징조약** 제2조: 영국 국민이 가족과 하인을 데리고 광저우, 샤먼, 푸저우, 닝보, 상하이 등 다섯 항구에 기거하면서 아무런 방해 없이 무역 통상에 나설 수 있도록 허용한다. 제3조: 청은 홍콩을 영국에 넘겨주고, 영국이 적당한 법을 세워 다스릴 수 있도록 허용한다. 제5조: 앞으로 대황제는 영국 상인 등이 각 항구에서 무역을 할 경우, 어떤 상인과 교역을 하든 상관없이 모두 자유롭게 할 수 있도록 허락한다. · 추가 조약: 관세 자주권 상실, 영사 재판권 인정, 최혜국 대우 인정

3. 제 2차 아편 전쟁

배경	· 영국의 무역 확대 요구, 프랑스의 청 내륙 진출 요구에 청이 거절 · (애로호 사건)(1856)
과정	① 영프 연합군의 광저우, 톈진 공격 ② 톈진 조약 체결 ③ 조약에 대한 불만으로 전쟁 재개 ④ 영프 연합군의 베이징 점령 ⑤ 러시아의 중재로 베이징 조약 체결
결과	· (톈진) 조약(1858): 베이징에 (외교관) 주재, (10개) 항구 추가 개항, 크리스트교 포교 내지 여행 허가 **톈진 조약** 제2조: 청과 영국은 적절한 때에 외교 관리를 서로 파견하여 각각 청과 영국의 수도에 보낼 것을 약정한다. 제8조: 앞으로 개신교나 천주교를 전하거나 배우려는 사람은 모두 보호해야 하며, 법을 어기지 않을 경우 중국 관원이 그 활동을 금지해서는 안 된다. · (베이징) 조약(1860): 톈진 조약 내용, 영국에 (주룽반도) 일부 할양, 러시아의 연해주 획득 **베이징 조약** 제4조: 조약이 체결된 날로부터 청의 황제는 톈진을 개항하기로 허락한다. 이에 각 중국 개항장에서 체결한 조약과 동일한 조건에 따라서 모든 영국 국민 등은 거주하고 무역할 수 있다. 제6조: 청의 황제는 홍콩과 그 부근의 법률 및 질서 유지를 위하여 홍콩의 부속 지역으로서 주룽반도의 일부를 영국에 할양한다.

2016학년도 대수능 동아시아사

9. (가), (나) 조약에 대한 설명으로 옳은 것은?

> ○ 청은 영국과 [(가)] 조약을 체결하여 광저우, 샤먼, 푸저우, 닝보, 상하이 등 다섯 항구를 개항하고 영토를 할양하였다. 이 조약은 이후 동아시아에서 체결되는 불평등 조약의 원형이 되었다.
>
> ○ 일본은 미국과 [(나)] 조약을 체결하고 시모다, 하코다테 외에 가나가와, 나가사키, 니가타, 효고 등을 개항하였다. 이로써 이들 항구에서 자유 무역이 허용되었고, 협정 관세가 규정되어 일본의 관세 자주권이 부정되었다.

① (가) - 랴오둥 반도와 펑후 제도의 할양을 규정하였다.
② (가) - 선교사에게 크리스트교 포교의 자유를 허용하였다.
③ (나) - 조선이 자주 독립국임을 확인하였다.
④ (나) - 일본인에 대하여 범죄를 저지른 미국인을 미국 법률로 처벌하도록 하였다.
⑤ (가), (나) - 청과 일본이 서양과 맺은 최초의 근대적 조약이다.

근대화 운동 비교

양무 운동

- 특징: 중체서용, 동도서기(중국의 정신을 바탕으로 서양 문물을 수용)
- 사례: 근대적 공장 건립, 유학생 파견, 외국어 학교 설립
- 결과: 실패 why) 종합 계획 부족, 정부 간섭
  - 청·프 전쟁, 청·일 전쟁 패배

> 서양의 몇몇 국가들만 독자적으로 부강한 것은 서로 비슷하고 실행하기도 쉬운 장점이 두드러진 결과가 아니겠는가? 만약 중국의 윤상명교를 근본으로 삼고, 외국이 부강해진 기술을 가지고 이를 보강한다면 가장 좋은 방법이 아니겠는가?
> - 풍계분, 교빈려항의 -

변법자강 운동

- 특징: 문명개화, 메이지 유신 모방(법과 제도 사회 전반에 대한 개혁)
- 사례: 의회 설치, 입헌군주제 지향, 과거제 개혁, 교육제도 개혁, 농공상업의 진흥
- 결과: 실패 why) 보수파의 반발

> 영국은 겨우 손바닥만한 한 섬 세 개로 이루어져 있어......서양의 일등국이 되었다. 어찌 다른 까닭이 있겠는가? 다만, 의회를 설립해서 백성의 뜻을 하나로 뭉쳐 만기를 강하게 만들었을 뿐이다.
> - 정관잉, 성세위언 -

내용 정리

선생님의 필기를 바탕으로 여러분이 정리해보세요:)

핵심 내용

나의 생각

MEMO

과목	**역사1**	소속	( )학교 ( )학년 이름( )
단원	**Ⅳ. 제국주의 침략과 국민 국가 건설 운동**		
주제	4. 동아시아의 국민 국가 건설 운동		
핵심내용	- 중국의 근대적 개혁 운동의 흐름		

주제 1 중국의 근대적 개혁 운동

1. 태평천국 운동

배경	· (제 1차 아편 전쟁)을 계기로 청조의 권위 추락 · 배상금 지불로 농민 조세부담 증가, 물가 폭등으로 반청의식 고조
전개	· (홍수전)이 크리스교 신앙을 바탕으로 상제회 조직 · (멸만흥한) 주장을 주장하며 봉기 · 난징 중심 태평천국 건설 · 화북 지방 진출 · 향용과 상승군의 반격 · 태평천국군의 내부 분열
개혁내용	· (천조전무제도): 토지 균분 주장 · 사회 모순 개혁: 남녀평등, (전족)과 축첩 폐지, (아편) 금지, (변발) 금지
의의	반봉건적 사회 개혁 운동

2. 양무운동

배경	아편 전쟁과 태평천국 운동 진압 과정에서 개혁의 필요성 인식
주도	태평천국 진압 과정에 앞장 선 증국번, 이홍장 등 한인 관료 기계 제조라는 이 일은 오늘날 서양의 도전을 막아내기 위한 바탕이 되며, 자강의 근본입니다. 위기를 안정으로 돌리고 허약함을 강력함으로 바꾸는 길은 전적으로 기계를 모방하여 제조하는 데서 비롯됩니다. 　　　　　　　　　- 이홍장 전집 -

내용	· (중체서용)을 바탕으로 부국 강병 추구 서양의 몇몇 국가들만 독자적으로 부강한 것은 서로 비슷하고 실행하기도 쉬운 장점이 두드러진 결과가 아니겠는가? 만약 중국의 윤상명교를 근본으로 삼고, 외국이 부강해진 기술을 가지고 이를 보강한다면 가장 좋은 방법이 아니겠는가? 　　　　　　　- 풍계분, 교빈려항의 - - 근대적 공장 건설 - 외국에 유학생 파견 - 외국어 학교 설립
결과	종합적인 계획 부족, 기업 활동에 대한 정부의 간섭, (청프전쟁)과 (청일전쟁)에 연달아 패배하면서 실패로 끝남

3. 변법자강 운동

배경	· 청일전쟁의 패배로 일본과 시모노세키 조약 체결 · 열강의 각종 이권 침탈 심화 · 양무운동의 실패에 대한 반성
주도	캉유웨이, 량치차오 등 변법파 법은 왜 반드시 변하야 하는가? 무릇 하늘과 땅 사이에 있는 것은 변하지 않음이 없다. 따라서 변화라는 것은 고금의 공리이다.　- 량치차오, 변법통의 -
내용	· 일본의 (메이지 유신) 모방 · 정치·사회제도 개혁: 의회 설치, 입헌군주제 지향, 과거제 개혁, 교육제도 개혁, 농·공·상업의 진흥 영국은 겨우 손바닥만 한 섬 세 개로 이루어져 있어……서양의 일등국이 되었다. 어찌 다른 까닭이 있겠는가? 다만, 의회를 설립해서 백성의 뜻을 하나로 뭉쳐 만기를 강하게 만들었을 뿐이다. 　　　　　　　- 정관잉, 성세위언 -

결과	서태후와 위안스카이 등 보수 세력의 탄압으로 실패
의의	입헌군주제 수립을 목표로 한 근대화 운동

4. 의화단 운동

배경	열강의 이권 침탈 심화, 크리스트교 확산에 따른 배외 감정 심화
전개	· 의화단의 산둥에서 봉기 · (부청멸양)을 주장, 교회와 철도 파괴 중국 각지의 백성에게 고한다. 크리스트교와 그 교회당이 우리 중국의 신성함을 더럽히고 위로는 중화의 임금과 신하를 능욕하고 아래로는 인민들을 억압하고 있다. 이 때문에 우리들은 의화권을 배워 중국을 수호하고 유럽 침략자들을 내쫓고자 한다. · 청조의 의화단 운동 후원 · 베이징의 외국 공관 습격 · 8개국 연합군의 의화단 진압 · 열강의 베이징 점령
결과	· (신축)조약 체결(베이징 의정서): 외국군의 베이징 주둔 인정, 배상금 지불
의의	중국 민중의 반제국주의, 반크리스트교 운동

5. 광서신정

배경	보수 세력의 개혁 필요성 절감
내용	과거제 폐지, 신식군대 육성, 상공업 육성
결과	결과 미흡 why) 정부의 재정확보를 위한 과중한 세금 요구로 민중의 불만 고조

6. 신해혁명

(쑨원)의 활동	· 중국 동맹회 결성 · 삼민주의 제시
전개	· 청조의 (철도 국유화) 조치 · 철도 국유화 반대 운동 전개 · 쓰촨 봉기 · 우창 봉기 · 각성의 독립 선언
결과	· 중화민국 성립, 임시 대총통에 쑨원 취임 중화민국 임시 약법 제2조: 중화민국의 주권은 국민 전체에 속한다. 제4조: 중화민국은 참의원, 임시 대총통, 국무원, 법원이 통치권을 행사한다. 제31조: 임시 대총통은 법률을 집행하거나 아니면 법률의 위임에 기초하여 명령을 발포하거나 발포하게 할 수 있다. · (위안스카이)와 협상, 청조 멸망 · 이후 상황 - 위안스카이의 대총통 취임, 제정 부활시도 - 위안스카이 사후 군벌의 시대 개막

*쑨원 삼민주의
1. 민족주의: 청나라 타도, 한족 국가 수립
2. 민권주의: 공화정체 국가 수립
3. 민생주의: 토지 제도 개혁을 통한 민생 안정

2016학년도 대수능 세계사

14. (가), (나) 사이의 시기에 있었던 사실로 옳은 것은? [3점]

> (가) 최근 독일은 산동 지역의 일부를 점거하였습니다. 각국이 계속 중국의 빈틈을 엿보고 있어서 참으로 망국의 위기가 눈앞에 닥쳐왔습니다. 이 난국을 타개하기 위해서는 제도국을 설치하시고 헌법을 제정하시는 것이 최선이라고 생각합니다.
>
> (나) 2년 전 열강의 연합군이 베이징을 점령하자, 이듬해 우리나라는 4억 5천만 냥이라는 막대한 배상금을 그들에게 지불하는 조약을 맺었습니다. 서양 세력을 막아 대기 위해서는 그들의 제도를 참고하여 우리 나라 군대의 문제점을 개선하고 신군을 편성해야 합니다.

① 타이완이 일본의 식민지가 되었다.
② 중국 동맹회가 무장 봉기를 일으켰다.
③ 청조를 지지하는 농민들이 철도를 파괴하였다.
④ 베트남에 대한 종주권을 두고 청·프 전쟁이 발발하였다.
⑤ 러시아가 일본의 팽창을 막기 위해 삼국 간섭을 추진하였다.

2017학년도 대수능 동아시아사

17. (가), (나) 사건에 대한 설명으로 옳은 것은? [3점]

> ○ "청을 도와 서양 세력을 물리치자."라는 구호를 내세우며 교회와 철도를 파괴하고 외국 공관을 공격하는 [(가)] 이/가 고조되자 일본 등 8개국 연합군이 출병하여 진압하였다.
>
> ○ "오랑캐를 쫓아내고 민국을 수립하자."라는 강령을 내세운 중국 동맹회가 무장봉기를 추진하는 가운데, 후베이 성 신군이 우창 봉기를 일으키며 [(나)] 이/가 시작되었다.

① (가)는 기독교 포교를 인정하는 계기가 되었다.
② (가)는 영·일 동맹에 따라 일본군이 출병하는 원인이 되었다.
③ (나)는 베트남 광복회 결성에 영향을 주었다.
④ (나)는 내전 중지와 항일 투쟁을 기치로 내걸었다.
⑤ (가)는 입헌 군주제, (나)는 공화제를 목표로 하여 일어났다.

* 깨톡으로 보는 인물: 이홍장 vs 캉유웨이

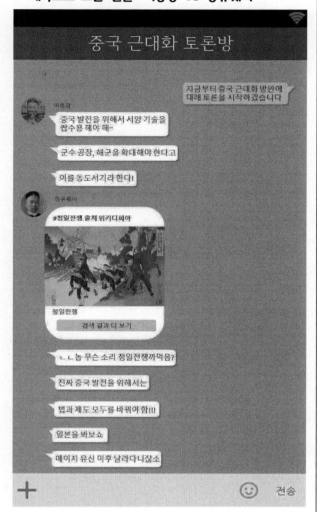

2021학년도 대수능 세계사

20. 교사의 질문에 대한 학생의 답변으로 옳은 것은?

① 장쉐량이 장제스를 감금하였어요.
② 쑨원이 임시 대총통에 취임하였어요.
③ 의화단과 8개국 연합군이 충돌하였어요.
④ 제1차 아편 전쟁의 결과로 개항되었어요.
⑤ 신해혁명을 촉발한 신군 봉기가 처음 일어났어요.

정답 14. ③, 17. ③, 20. ②

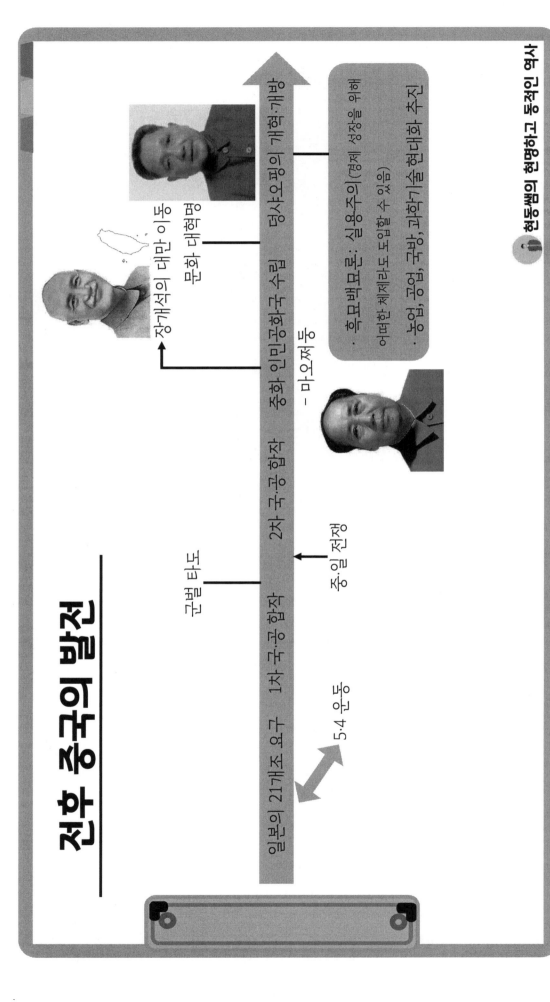

전후 중국의 발전

5·4 운동

일본의 21개조 요구　1차 국·공 합작　2차 국·공 합작　중화 인민공화국 수립　당사오핑의 개혁·개방

군벌 타도

중·일 전쟁

- 마오쩌둥

장개석의 대만 이동

문화 대혁명

- 흑묘백묘론: 실용주의(경제 성장을 위해
  어떠한 체제라도 도입할 수 있음)
- 농업, 공업, 국방, 과학기술 현대화 추진
  농업, 공업, 국방, 과학기술 현대화 추진

내용 정리

선생님의 필기를 바탕으로 여러분이 정리해보세요:)

핵심 내용

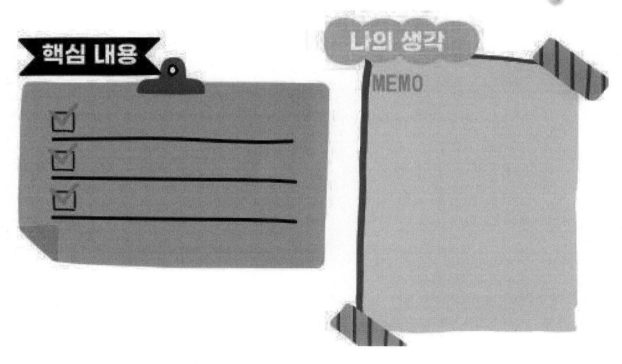

나의 생각

MEMO

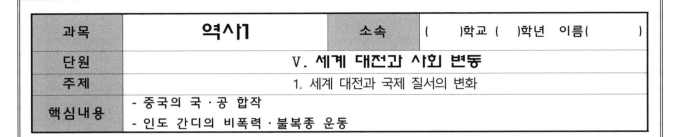

과목	역사1	소속	( )학교 ( )학년 이름( )
단원	V. 세계 대전과 사회 변동		
주제	1. 세계 대전과 국제 질서의 변화		
핵심내용	- 중국의 국·공 합작 - 인도 간디의 비폭력·불복종 운동		

주제 1 제1차 세계대전 후 아시아·아프리카 민족 운동

1. 중국

5·4 운동 (1919)	· 배경: 신문화운동[1], 파리강화회의 결과(독일의 산둥반도 이권 차지)에 반발 · 전개: 베이징 대학생 중심 21개조 요구 철폐, 산둥반도 이권 반환 요구
제1차 국공합작 (1924)	· 배경: 제국주의 침략 확대, 군벌 타도 목적 · 전개: 장제스의 북벌 후 공산당 토벌로 결렬
대장정	장제스의 공산당 토벌에 따른 옌안으로 이동
제2차 국공합작 (1937)	배경: 시안사건[2], 중일 전쟁 발발 중국 공산당 중앙 위원회는 최대한의 열정을 가지고 우리 전국의 부모·형제·자매에게 선언합니다. 　(1) 쑨원 선생의 삼민주의를 중국 금일의 필수로 삼는다. 　(2) 국민당 정권을 무너뜨리기 위한 모든 폭동 정책과 적화 정책을 취소하고, 폭력으로 지주의 토지를 몰수하는 정책을 취소한다. 　(4) 홍군의 명칭 및 번호를 취소하고 국민 혁명군으로 개편한다. - 중국 공산당 중앙 위원회의 국·공 합작 공포를 위한 선언 -

2. 인도

간디	· 비폭력·불복종 운동 - 롤럿법[3] 폐지, 완전 자치 요구 · 소금 행진 전개
네루	· 인도 독립 동맹 결성 · 인도의 완전한 독립 요구
신인도통치법	외교, 군사를 제외하고 자치권 인정

3. 동남아시아, 서아시아, 아프리카

	베트남	**호치민** 중심의 인도차이나 공산당 조직
동남아시아	인도네시아	· 이슬람 동맹의 독립 운동 실패 · 수카르노 중심의 인도네시아 국민당의 독립 운동
서남아시아	오스만제국	· 터키 공화국 수립 · 근대화 정책
	팔레스타인	· **후세인-맥마흔 합의**(1915): 영국의 아랍인 독립 약속 · **밸푸어 선언**(1917): 영국의 유대인 국가 건설 지지
아프리카	이집트	영국으로부터 독립을 인정받았으나 **수에즈 운하권**은 계속 영국이 행사
	수단	마디 운동: 19세기 말 무함마드 아흐마드가 군대를 모아 토지개혁을 추진하면서 영국 침략에 저항
	에티오피아	**아도와 전투**에서 이탈리아군 격파
	나미비아	독일 지배에 대한 저항 발생

* 아프리카의 민족 운동 더 알아보기

1. 이집트의 변화

무함마드 알리	오스만 제국으로부터 통치권을 위임받아 개혁 추진
아라비 파샤	· 이집트인을 위한 이집트 건설 · 반영 운동 전개

2. 사하라 이남의 아프리카 민족 운동

줄루 왕국	이산들와나 전투에서 영국군에 승리
에티오피아	· 근대화 정책 추진 · (아도와 전투)에서 승리로 이탈리아 침입을 격퇴
나미비아	헤레로족의 무장 봉기로 독일에 저항 → 진압 및 실패

2018학년도 대수능 세계사

14. (가) 국가에 대한 설명으로 옳은 것은? [3점]

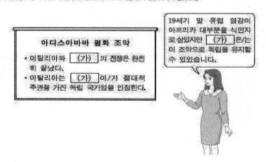

① 탄지마트를 실시하였다.
② 아도와 전투에서 승리하였다.
③ 산마르틴이 독립 전쟁을 주도하였다.
④ 샤카 줄루가 주변 부족을 통합하였다.
⑤ 라마 4세가 근대적 개혁을 추진하였다.

정답 14. ②

---

1) 유교 중심 전통문화 비판, 서양의 과학과 민주주의 수용 주장하였다.
2) 국민당 동북군 지휘관 장쉐량이 항일 투쟁보다 공산당 토벌을 강조하는 국민당 대총통 장제스를 감금한 사건이다.
3) 영장 없이 인도인을 체포하거나 재판 없이 투옥하는 법이다.

 출처

1. 교과서 및 교재

정선영 외 8명(2020), 『중학교 역사①』, 미래엔
최준채 외 5명(2022), 『고등학교 세계사』, 미래엔

EBS 교육방송 편집부(2024), 『EBS 수능특강 세계사영역 세계사』, 한국교육방송공사

2. 문제

한국교육과정 평가원, 전국연합 모의고사, 모의평가, 수능 기출

3. 기타

김상근(2022), 『붉은 백합의 도시, 피렌체』, 시공사
스벤 린드크비스트(2003), 『폭격의 역사』, 한겨레신문
전국역사교사모임(2018), 『처음 읽는 미국사』, 휴머니스트
캐롤 스트릭랜드(2013), 『클릭, 서양 미술사』, 예경
커트 보니것(2020), 『제5도살장』, 문학동네

역사

현동쌤의 칭찬도장

학번(   ) 이름(   )

ex) 1	2	3	4
5	6	7	8
9	10	11	12
13	14	15	16
17	18	19	20